Екатерина **Вильмонт**

Издательская группа АСТ представляет книги Екатерины Вильмонт:

- Путешествие оптимистки, или Все бабы дуры.
- Полоса везения, или Все мужики козлы.
- Три полуграции, или Немного о любви в конце тысячелетия
- Хочу бабу на роликах!
- Плевать на все с гигантской секвойи. Умер-шмумер.
- Нашла себе блондина!
- Проверим на вшивость господина адвоката.
- Перевозбуждение примитивной личности.
- Курица в полете.
- Здравствуй, груздь!
- Гормон счастья и прочие глупости.
- Бред сивого кобеля.
- Зеленые холмы Калифорнии. Кино и немцы!
- Два зайца, три сосны.
- Фиг с ним, с мавром! Зюзюка, или Как важно быть рыжей.
- Крутая дамочка, или Нежнее, чем польская панна.
- Подсолнухи зимой (Крутая дамочка-2)
- Зюзюка и другие (Сб.: Зюзюка, или Как важно быть рыжей; Зеленые холмы Калифорнии; Кино и немцы!)
- Цыц!
- Девственная селедка.
- Мимолетности, или Подумаешь бином Ньютона!
- Артистка, блин!

Екатерина **Вильмонт**

Танцы с Варежкой

АСТ • Астрель
Москва

УДК 821.161.1
ББК 84 (2Рос=Рус)6
В46

Вильмонт, Е. Н.

В46 Танцы с Варежкой/ Екатерина Вильмонт. — М.: Астрель: АСТ, 2010. — 318, [2] с.

ISBN 978-5-17-071136-9 (АСТ) (ПС: Вильмонт)
ISBN 978-5-271-32159-7 (Астрель)
Оформление обложки дизайн-студия «*Дикобраз*»

Это продолжение книги «Артистка, блин!». Варю закрутило в вихре дел и событий, но главным для нее остается любовь, хотя здесь все очень непросто...

УДК 821.161.1
ББК 84 (2Рос=Рус)6

Подписано в печать с готовых диапозитивов заказчика 19.10.10 г.
Формат 84×108 1/32. Бумага газетная. Печать высокая с ФПФ.
Усл. печ. л. 16,8. С: ПС: Вильмонт. Тираж 80 000 экз. Заказ 1711.

Общероссийский классификатор продукции
ОК-005-93, том 2, 953000 — книги, брошюры

Санитарно-эпидемиологическое заключение №
77.99.60.953.Д.012280.10.09 от 20.10.2009г.

ISBN 978-985-16-9239-8
(ООО «Харвест»)

В крови горит огонь желанья,
Душа тобой уязвлена...

А.С. Пушкин

ГРИМАСЫ ФОРТУНЫ

Интервью

Корр.: Добрый день, Варвара!

В.Л.: Здравствуйте!

Корр.: Варвара, прежде всего позвольте вас поздравить с оглушительным успехом вашего сериала «Марта».

В.Л.: Спасибо.

Корр.: Вы сейчас опять снимаетесь у режиссера Шилевича в его новом фильме, но уже для кино?

В.Л.: Да, только съемки давно закончились.

Корр.: Когда мы его увидим?

В.Л.: Я не могу сказать, но предположительно осенью.

Корр.: Варвара, а почему вы расстались с Симбирцевым?

В.Л.: Знаете, это касается только нас двоих.

Корр.: Но публика жаждет знать...

В.Л.: Я уже все сказала!

Корр.: Говорят, он вас бил?

В.Л.: Что за ерунда?

Корр.: Все знают, что Стас человек невыдержанный... Не стесняйтесь, Варвара, скажите!

В.Л.: Без комментариев!

Корр.: Но ведь это была такая любовь!

В.Л.: Без комментариев!

Корр.: Он пил?

В.Л.: Послушайте, я не хочу говорить на эту тему, скажу только одно – Стас Симбирцев потрясающий артист, добрейшей души человек, а вовсе не пьяница и дебошир, каким вы любите его представлять! Это все!

Корр.: Но если он такой ангел, почему же вы расстались?

В.Л.: Потому что я не ангел!

Корр.: То есть в разрыве виноваты вы?

В.Л.: Да!

Корр.: Это был любовный треугольник?

В.Л.: Какой к черту треугольник? Я вообще отказываюсь от интервью! Мне сказали, что речь пойдет о моих ролях, а не о личной жизни.

Корр.: Ну что ж, поговорим о ролях! Ваш спектакль «Песни шмеля» пользуется большим успехом, билетов не достать... Как вам работалось с Рубаном? Он, говорят, сложный человек?

В.Л.: Мне и было сложно, но когда у тебя такой партнер, как Дмитрий Бурмистров...

Корр.: Вот, кстати, Бурмистров был вашим партнером и в «Марте»?

В.Л.: Да!

Корр.: Он тоже человек непростой.

В.Л.: А мне вообще интересны только непростые люди, особенно в работе.

Корр.: Симбирцев оказался слишком прост для вас?

В.Л.: Без комментариев!

Корр.: Варвара, а не Бурмистров ли послужил причиной вашего развода?

В.Л.: Развода не было, поскольку мы не были женаты. И мы закрываем эту тему!

Корр.: Ну хорошо! Тогда о другом. Ваше появление на кино- и театральном небосклоне оказалось подобно комете!

В.Л.: Надеюсь все-таки, что комета не мой космический объект.

Корр.: То есть?

В.Л.: Ну, комета пролетает быстро, а мне хочется задержаться на этом небосклоне.

Корр.: В качестве звезды?

В.Л.: Я этого не говорила.

Корр.: Варвара, а почему вы живете одна?

В.Л.: Без комментариев!

Корр.: Нет, я имел в виду другое! Почему ваши сын и мама живут в Германии?

В.Л.: Потому что там экологические условия значительно лучше, чем в Москве.

Корр.: А у вас есть еще предложения сниматься?

В.Л.: Очень много.

Корр.: Вы на чем-то остановили свой выбор?

В.Л.: Да, но говорить об этом еще рано.

Корр.: А в театре вы собираетесь что-то еще играть, ведь ваш театральный дебют был так же высоко оценен критикой?

В.Л.: Да, я уже репетирую все с тем же Рубаном.

Корр.: Все были крайне удивлены той невероятно высокой оценкой, которую вам дал Филипп Рубан. Он сказал: «В этой актрисе поразительным образом сочетается трепетность Одри Хепберн и мощь Бэтт Дэвис! Казалось бы, эти актрисы полярны, а госпожа Лакшина оказалась как бы в центре, на экваторе, и потому представляет собой нечто уникальное и новое для нашего времени, как в свое время обе эти великие актрисы!»

В.Л.: Филипп Юлианович человек очень импульсивный...

Корр.: Но он вовсе не щедр на похвалы, и это всем известно.

В.Л.: Я, разумеется, чрезвычайно польщена таким отзывом, но ни в коем случае не принимаю его на свой счет. Филипп Юлианович был, вероятно, воодушевлен успехом спектакля.

Корр.: Но тем не менее отзыв прозвучал и наверняка возбудил зависть ваших коллег... Вы это уже ощутили?

В.Л.: Знаете, у меня сейчас столько работы, что мне просто некогда об этом думать. Кстати, я уже опаздываю на репетицию.

Корр.: Благодарю вас, Варвара, хоть вы были не слишком откровенны.

Варя хотела сказать, что откровенничать с журналистами и впредь не собирается, но сочла за благо промолчать. Сказала только:

— Прошу вас, скиньте мне на мэйл готовую статью, я ведь предупреждала, что без моей визы...

— Ну разумеется, разумеется! Дальнейших вам успехов, Варвара!

— Благодарю!

Варя пулей выскочила из кафе, где давала интервью, плюхнулась на раскалившееся от солнца сиденье своего «опеля» и поспешила включить кондиционер. Она и вправду опаздывала на репетицию. А после репетиции надо еще попасть в Останкино, где снимается какое-то дурацкое ток-шоу. Она терпеть не могла ток-шоу, где все орут как резаные, не слыша друг друга, но ее агент Катя Вершинина, с которой Варя подружилась, настаивала:

— Варь, что за дела! Надо значит надо! Ты сейчас нарасхват, надо этим пользоваться! Поверь, пригодится! Ты пока засветилась только в «Марте», спектакль Филиппа, каким бы гениальным он ни был, не многие знают, это не аудитория! Ты обязана мелькать на экране, тебя должны узнавать! И интервью давать нужно! Ты поздно начала, правда, сразу прогремела, но одной роли мало! Поверь мне, я знаю, что говорю!

— Но вот Дима же не таскается по всем этим ток-шоу?

— Сравнила куцего и зайца! Димка уже может себе это позволить, заслужил, а когда-то тоже таскался. Правда, его больше таскала эта его, прости господи, жена... тьфу на нее! Впрочем, неважно.

И Варя покорно делала все, что говорила ей Катя. Тем более что эта почти круглосуточная карусель помогала заглушить мучительную боль от разрыва со Стасом.

— Бася, душа моя, ты понимаешь, что мы играем?

— Филипп Юлианович...

— Твоя ценность в том, что ты синтетическая актриса, ты могла бы быть звездой у Таирова!

— Ну, это вы загнули!

— Ничего я не загнул! Коонен играла все! И высочайшую трагедию, и водевиль! И, кстати, русскую драму... Островского... А ты мне тут устраиваешь Мосфильм! Это надо забыть как страшный сон! Сейчас мы играем водевиль! Пойми, водевиль в моей постановке — это уже само по себе сенсация, и ты должна выглядеть сенсационно! Ты же поешь, танцуешь, это спектакль на тебя! Значит, ты должна понимать... — Филиппа опять унесло в космические дали.

У Вари мутилось в голове, а Димы рядом не было, чтобы перевести с языка Рубана на русский. У нее был чудесный партнер, молодой артист из «Табакерки» с хорошим голосом, отменной пластикой, но помочь Варе он был не в состоянии, так как и сам мало что понимал.

— Толик, ты когда-нибудь любил?

— А как же, Филипп Юлианыч!

— Кого?

— Ну, однокурсницу свою... — смутился Толик.

— Она тебя долго мучила?

— В каком смысле?

— О боже! Не давала долго?

— Практически сразу дала...

— О времена! О нравы! Значит, эти муки тебе не знакомы... Но вообразить себе их ты в состоянии? — уже начинал накаляться режиссер.

— Вполне!

— Вот и играй муки неразделенной любви, но помни, это водевиль! Французский водевиль! Но не вздумай играть Мольера, это будет кощунство! Слушай музыку, музыку, улавливай ее всеми своими антеннами, настрой их, черт бы тебя взял!

— Но музыки ведь нет! — чуть не плача, проговорил Толик.

— Музыку сфер надо слышать, дубина ты стоеросовая! Вот Бася слышит, она научилась!

Бася, сердце мое, в наше время почти никто не умеет порхать! Как я ненавижу, когда актеры, и в особенности актрисы, укладывают шпалы на сцене! Театр — это счастье, радость, воспарение! Толик, ты понял?

— Вроде да.

— И вот еще что... Завтра к нам присоединится не кто-нибудь, а сама Мария Францевна Толль!

— Ни фига себе! — присвистнул Толик.

— Вот кто умеет порхать, несмотря на свои сто килограммов! Вот кто моя любимая артистка! Жаль, мы с ней разминулись во времени и она будет играть твою тещу, Толик!

— Ни фига себе, — повторил Толик.

Варя возликовала! Мария Францевна Толль была питерской легендой. В силу разных обстоятельств она давно ушла со сцены. Лишь иногда снималась в сериалах. В свое время она была среди педагогов на Варином курсе и всегда отмечала ее.

— Как здорово! — воскликнула Варя. — Я же у нее училась!

— Мария Францевна мне говорила, что ты в некотором роде ее ученица... Я этому весьма рад! Ладно, на сегодня все! Толик, постарайся на следующей репетиции продемонстрировать нам, что ты вынес из всего сегодня сказанного! Аривидерчи, господа!

— Варвара, можно тебя на минутку? — не без робости спросил Толик.

— Ты хочешь спросить, что все это значит, да?

— Откуда ты знаешь?

— Сама это проходила, — засмеялась Варя. — Мне Бурмистров объяснил. Просто играй легче, без нажима, и все будет нормально!

— И все?

— И все!

— Это у него фишка такая?

— Ага!

— Но почему нельзя просто объяснить!

— Я тогда задала тот же вопрос, и Дима мне ответил: «Если просто, то никто не скажет, что он гений!»

— Значит, он вовсе не гений?

— Гений, в том-то и штука! Как он чувствует артиста, как выстраивает мизансцены... И несет вроде бы полную хрень, а какие спектакли получаются! Вот увидишь, он сперва задурит тебе голову, а потом начнет репетировать совершенно нормально, и все получится.

— Парадокс!

— Ты же знаешь, гений — парадоксов друг!

Когда поздно вечером, едва живая от усталости, Варя вошла в свой подъезд, в нос ей ударил запах гари. Она поморщилась. Пожар, что ли, у кого-то был? Лифт работал. Она поднялась на свой шестой этаж и обомлела. Дверь ее квартиры была обуглена, и на нее был налеплен лист картона с красной надписью: «Убирайся в свою Германию, сука!»

Она растерялась. Ее затрясло. Что же делать? Тут открылась дверь соседней квартиры, выглянула пожилая женщина.

— Вы из этой квартиры? Да?

— Да. Что тут было?

— Не знаю! Сама пришла, увидала этот ужас... Соседей спрашивала... Никто ничего не видел. Милицию надо бы... Хотя что милиция...

Тут открылась дверь третьей квартиры, на площадке их было всего три. Оттуда вышел мужчина лет пятидесяти в старом тренировочном костюме.

— Вы чего тут расшумелись? Ночь уже! Между прочим, раньше у нас тут такого не случалось. Ну чего пялишься? Ничего с твоим добром не сделалось, ну дверь хулиганы пожгли, ничего, новую поставишь, звезда!

— Девушка, не обращайте на него внимания, пойдемте ко мне, я вас хоть чаем напою. А скоро сын мой вернется, он с вами в квартиру зайдет, вам небось боязно?

Она потянула Варю за рукав. Та подчинилась.

— Ох, этот Васька, злыдень еще тот! На весь мир бесится...

— Так, может, он и поджег?

— Да ты что! Он же трус, каких свет не видывал. Садись, милая, чаю тебе сделаю... Есть хочешь?

— Нет, спасибо...

По лицу Вари катились слезы.

— Ладно тебе, не плачь. Подумаешь, ну покрасишь дверь...

— Надо все же милицию вызвать...

— И, милая! Наша милиция ничем не поможет, только нервы все измотает. Я тут на прошлой неделе не спала, встала часа в два ночи, к окну подошла, гляжу — внизу какие-то парни машины курочат. Две сразу! Я милицию вызвала! Приехали очень быстро, парней повязали, так веришь, их через день выпустили, а мне и жильцам нашим, у которых машины попортили, все нервы измотали! Меня часа четыре в ментуре промурыжили. Почему ночью не спали, как с шестого этажа разглядели, и все в таком роде. Я себе слово дала: еще что увижу, ни в жисть больше в милицию не позвоню! Какой смысл? У одного из этих парней дядька родной в нашем отделении милиции работает...

— Да, вы, наверное, правы.

Варя вдруг почувствовала себя такой несчастной, одинокой... Так захотелось домой, к маме и сыну... И Шилевичей, как назло, нет в Москве, и Дима на гастролях... Мелькнула даже шальная мысль — не позвонить ли Стасу? Он примчится... Но ведь дальше все начнется сначала, а я так больше не хочу. Позвонить Кате? Но Катя сейчас в Египте, жарится на солнце. Не ночевать же в самом деле у совершенно чужих людей... Лучше поехать в гостиницу! Да, это мысль! Подумать о том, чтобы зайти в квартиру, она не могла. Пока не поменяют дверь, поживу в гостинице...

Она выпила чашку чаю, просто из вежливости, сердечно поблагодарила соседку.

— Пойду...

— Куда ж ты, милая?

— К подруге... У меня машина внизу...

— Ну что ж, мне тебя жалко, но положить просто некуда, скоро сын с невесткой явятся.

— Да что вы, я так вам благодарна... Ох, простите, я даже не знаю, как вас зовут. Я Варвара...

— Надо ж! И я Варвара, Варвара Владимировна, тетя Варя! Ладно, езжай к подружке. Вот телефончик мой запиши и, если что, звони, тезка!

Варя оставила милой соседке номер своего мобильного и спустилась вниз. Уже в дверях подъезда она заметила, что у нее спущено заднее колесо. Только этого не хватало! Но ничего, я быстро его поменяю, слава богу, это я умею! Но при ближайшем рассмотрении выяснилось, что спущены все четыре колеса! Кто-то их проколол. И вот тут она ощутила такое бессилие, такое отчаяние! Вся скопившаяся усталость, вся нервотрепка последних полутора лет буквально свалили ее с ног. Она села на край тротуара. Позвоню Стасу, и будь что будет! Я не могу здесь без него... Я вообще не могу без него... Но телефон Стаса был выключен. Варвара, возьми себя в руки, сказала она себе. Сейчас ты поймаешь машину, поедешь в какую-нибудь гостиницу... В конце концов, все это одолимо! Дверь можно поменять, колеса тоже... Она достала из сумочки зеркало, вытерла зареванное лицо. И пошла ловить машину. К счастью, ей это удалось, и уже через десять минут она входила в гостиницу.

— Простите, мне нужен номер!

Девушка за стойкой спросила:

— Вы одна?

— Одна.

— У нас недешево.

— Знаю.

— Паспорт будьте добры!

— Пожалуйста.

— Вот ключ. Второй этаж.

— Спасибо. Скажите, в номере есть минибар или хотя бы бутылка воды?

— Ой, вы Марта?

— Что?

— Вы же артистка, да? Вы играли Марту?

— Да.

— Ой, как же вы мне нравитесь... Вы такая... У вас что-то случилось? Вы плакали? Да?

— Нет, что вы... Просто глаза от юпитеров устали...

— А вы мне автограф дадите?

— Пожалуйста, с удовольствием.

Варя расписалась на листке из записной книжки.

— Простите, Светлана, там есть вода?

— Там нет, но я сейчас... Вы без вещей?

— Да. У меня в квартире потоп. Соседи сверху залили... Я на сутки.

— Вот, тут вода, а еще шоколадка, это от меня.

— Огромное спасибо, — растрогалась Варя.

— Спокойной ночи!

Стас проснулся и не понял, где это он. Болела голова, тошнило. А рядом спала какая-то девица. Ох, что это было вчера? Что за девица? Судя по квартире, вряд ли проститутка, книг много. Ах да, это же та... искусствоведка... Фу, зачем все это? Впрочем, понятно зачем... Надо смываться, пока она спит. Хочется принять душ, но нельзя... Надо срочно линять. А как я сюда попал? Где моя машина? Или я приехал за рулем? Нет, вряд ли... Стрезва я бы с такой бабой не связался... Стрезва мне вообще все бабы омерзительны... После моей Варежки...

Он молниеносно и очень тихо оделся, в одних носках выскочил на площадку, обулся и побежал вниз по лестнице. В последнее время он стал бояться лифтов.

Где это я? Черт, машины нет. Район незнакомый. Он вышел на мостовую и поднял руку. Остановились раздолбанные «жигули». За рулем сидел хмурый кавказец.

— Вторая Брестская!

— Садись!

Стас сейчас жил у матери. Она умолила его переехать к ней после разрыва с Варежкой.

— Сташек, мы сейчас необходимы друг другу! Обещаю, что не буду вмешиваться в твои дела. Нам же обоим плохо. Тебе ведь только кажется, что ты большой, что не нуждаешься в маме. А я вот точно знаю — после того, как твой негодяй отец меня бросил, я без тебя не могу. Пойми, я вот глажу твои рубашки, и мне легче... Готовлю тебе ужин, и мне легче...

Надо сказать, что мать и в самом деле не лезла в его дела, не расспрашивала ни о чем, если он сам не рассказывал ей, не укоряла, если не приходил ночевать, только иногда подходила, гладила по голове, как в детстве, целовала в затылок и тяжело вздыхала. А он согласился переехать к матери, чтобы не спиться в квартире, где все напоминало о Варежке.

Он вытащил из кармана мобильник. Сколько пропущенных звонков! Так, это от Витьки, это от дяди Жени, это от Айгуль, это от... Варежки! Варежка мне звонила! Глухо забилось сердце. Неужели? Он посмотрел время звонка. Полвторого ночи! Я был ей нужен в полвторого ночи? Значит, у нее что-то случилось и она хотела позвать меня, а я в это время трахал какую-то ненужную бабу... Звонок был только один... Он заскрипел зубами. Но что же с ней стряслось? Если что-то серьезное, не прощу себе... Он набрал ее номер. «Абонент временно недоступен или находится вне зоны действия сети.»

— Сташек! — встретила его мать.

— Привет, мам, я первым делом в душ!

— Завтракать будешь?

— Конечно! Мам, мне никто не звонил?

— Звонили, я все записала и положила тебе на стол.

Стас кинулся к столу. Варежки среди звонивших не было. Он пошел в ванную.

Когда он поел и выпил кофе, Марина Георгиевна сказала:

— Прости, Сташек, может, не надо было бы говорить, но ты все равно узнаешь...

— Что, мама? — он вскинул на нее глаза, это были глаза испуганного ребенка.

Он что-то чует, подумала мать.

— Сегодня передавали в новостях... У Вари сожгли дверь и прокололи колеса... Она не пострадала.

— Вот сволочи! Это от зависти, я убежден!

— Я тоже так подумала. Сташек, ее надо найти.

— Зачем?

— Как зачем? Анюта волнуется, не может ей дозвониться, звонила мне...

— Она уже в курсе? Откуда?

— Не знаю, наверное, из Интернета...

— Оперативно, однако! Точно сказали, что она не пострадала?

— Да, точно, несколько раз говорили.

— Ладно, я сейчас туда смотаюсь, у меня есть время!

— Куда ты смотаешься?

— К ней, куда же еще?

— Сташек, я, конечно, не знаю, что там у вас произошло...

— Она мне звонила ночью, мама, а я... у меня был выключен телефон... Я поехал!

Стас примчался к Вариному дому, взлетел пешком на шестой этаж и сразу увидел обугленную дверь и картонку с надписью. Позвонил в соседнюю квартиру. Открыла пожилая тетка.

— Вы к кому? Ой, мамочки, Стас Симбирцев! Надо же! Вы к Варечке, наверное?

— Здравствуйте, — обаятельно улыбнулся он. — Вы случайно не знаете, где можно найти Варю?

— Ой, да вы зайдите, я вам расскажу...

Стас вошел.

— Может, чайку хотите?

— Спасибо вам большое, я только что пил чай. Так что тут случилось?

— Да вы сядьте, а то вы такой большой, мне на вас снизу вверх-то смотреть несподручно как-то...

Стас опустился на табуретку в прихожей. Варвара Владимировна во всех подробностях поведала ему о том, что произошло.

— Она не сказала, куда поедет?

— К подруге.

— Имя не называла?

— Нет, точно нет. Но, видать, не уехала, колеса ей прокололи, сегодня по телеку сказали. Бедная девочка, так плакала...

— Значит, в милицию не обращались?

— Да нет... Разве ж они помогут? Только нервы все измотают. Ой, а вы ей кто? Полюбовник?

— Я ей... муж. Спасибо вам, я пошел.

Вариного «опеля» внизу не было. Он сел в свою машину. Достал телефон. Опять набрал Варин номер. Тщетно. Тогда он решил позвонить старому приятелю, работающему в частном детективном агентстве.

— Денька, привет, Симбирцев!

— О, Стас! Сколько лет, сколько зим! У тебя наверняка ко мне дело, просто так никогда ведь не позвонишь, звезда экрана!

— Ладно тебе, Денис, времени вообще нет, но если сделаешь дело, такую поляну накрою...

— Ловлю на слове! За бабой, что ль, проследить?

— Еще не хватало! Может, встретимся сейчас, все объясню.

— Сможешь заехать в контору?

— А где она?

— На Новослободской.

— Отлично! Буду через четверть часа!

Утром, после абсолютно бессонной ночи, Варя позвонила Нине Мурадян.

— Варя! — завопила та. — Ты почему не отвечаешь на звонки? Вся Москва уже гудит!

— Москва гудит? По какому поводу? — не поняла Варя. — Нина, мне не до шуток, у меня... мне нужна помощь, я не знаю, что делать...

— Да говорю же, вся Москва уже гудит! Ты где находишься?

— Я в гостинице... У меня колеса прокололи.

— Твоя машина уже на сервисе! Говори адрес гостиницы! За тобой сейчас приедут!

— Но каким образом?..

— Я узнала из новостей! Сразу позвонила Пирогову, он распорядился оттащить машину на сервис и уже с собаками тебя ищет! Только не убегай, ради бога!

— Я просто телефон выключила, пыталась заснуть...

— Варь, пойди поешь, у вас там завтраки-то есть?

— Не знаю, я не голодна. Ниночка, что же это?

— Зависть! Как сказала бы Лизка — мега-зависть! Ну все, я должна действовать. Сиди и жди машину и не выключай телефон!

Буквально через пятнадцать минут в дверь постучали. На пороге стоял Пирогов собственной персоной.

— Варя!

— Иван Константинович, вы?

— Сейчас мы поедем к нам и обсудим сложившуюся ситуацию.

Варя старалась как можно меньше общаться с младшей сестрой и ее мужем, хотя он и спонсировал фильм Шилевича. Но, вопреки подозрениям Стаса, Пирогов не проявлял никаких признаков неравнодушия к Варе, и после того, как Стас вернул ему ключи от подаренной на несостоявшуюся свадьбу квартиры, вел себя исключительно тактично.

— Иван Константинович...

— Варя, никаких возражений! Вам надо прийти в себя, отдохнуть, и мы вместе подумаем, как быть дальше. Вам нельзя больше жить в той квартире!

— Иван Константинович, у меня в три репетиция.

— До трех еще масса времени! В конце концов, репетицию можно и отменить...

— Ни в коем случае!

— Хорошо. Где ваши вещи?

— У меня нет вещей. Надо за ними заехать...

— Варя, я пережил пожар и могу с уверенностью сказать, что все ваши вещи в маленькой квартире здорово пропахли гарью. Придется купить все новое, а пока возьмете что-нибудь у Марьяны. Можем идти?

— Да...

Он был такой уверенный в себе, такой властный, а она была так измучена, что подчинилась, хотя с первого своего визита к сестре больше не бывала у них в доме.

Когда они вышли на крыльцо, Варя заметила несколько фотографов, которые сразу защелками камерами.

— Варвара, что с вами случилось?

— Кто это так вам завидует?

— Вы убеждены, что это не случайность?

Охранник Пирогова заслонил собой Варю и буквально впихнул ее в машину. Она успела еще расслышать:

— А может, это ловкая пиар-акция?

— Поехали! — распорядился Пирогов.

— Иван Константинович, мне все-таки необходимо заехать в свою квартиру... Взять кое-что, и прежде всего компьютер... И отдать вещи в чистку... И потом... документы...

— Пожалуй, вы правы. Вы в квартиру не заглядывали?

— Нет, я побоялась...

— Хорошо, зайдем вместе. Со мной вам будет легче?

— Да, спасибо!

К счастью, у подъезда папарацци не было видно. Охранник шел впереди. Все трое поднялись на лифте.

— Ничего себе! — покачал головой Пирогов. — Варя, давайте ключи!

Охранник взял у нее ключи, долго возился с замком.

— Похоже, замок оплавился.

— Ломай! — распорядился Пирогов.

Пришлось довольно долго возиться, наконец дверь поддалась. Первым вошел охранник.

— Блин! — воскликнул он.

— Что там? — прошептала Варя.

Квартира была разгромлена.

— Я найду эту тварь! Варвара, живо посмотрите, не пропало ли что!

Варю трясло, но она взяла себя в руки. Вся одежда и белье были выброшены из шкафов и политы чем-то клейким, в результате на полу валялся огромный ком, из которого торчали где рукав, где воротничок. Книги, журналы тоже валялись на полу. Компьютер был разбит вдребезги, как и телевизор.

— Боже мой, за что? — прошептала Варя и расплакалась, уткнувшись носом в грудь Пирогова. Он гладил ее по голове.

— Ну вот, есть из-за чего слезы лить! Здорово же вы кому-то на хвост наступили. Похоже, бабьи дела! Документы проверьте!

Слава богу, до документов вандалы не добрались. Они лежали в ящике кухонного стола, а кухню почему-то оставили нетронутой.

— Вот и славно! Забирать отсюда практически нечего! Значит, начинаем жизнь с чистого листа! Все, поехали! И какая, к чертям, репетиция! Звоните, что не сможете быть. А хотите, я позвоню?

— Нет, я сама! Может, все-таки надо сообщить в милицию?

— Да боже сохрани! Завтра начнем тут ремонт, а потом продадим к чертям собачьим эту квартиру.

— Как?

— Варя, вам нельзя здесь больше жить! Эти скоты не остановятся.

— Вы считаете, я должна уехать в Германию?

— Ни под каким видом! Еще чего! Просто вы будете жить в той квартире, которую я купил для вас. Симбирцев от нее отказался, но вы же теперь не вместе? А там по крайней мере охрана, подземная стоянка... Два дня поживете у нас, квартиру надо привести в жилой вид, а потом переберетесь. Я подарки назад не забираю. Это ваша квартира, куплена на ваше имя. И не вздумайте возражать!

На возражения у Вари не было сил. Вдруг она спохватилась:

— Иван Константинович, в Интернете уже была информация?

— Да, с самого утра!

— Господи, надо позвонить маме!

Иван Константинович смутился.

— Звоните, конечно, только, наверное, не стоит говорить Анне Никитичне...

— Я не скажу! Алло, мамочка!

— Варюша, девочка, это что, правда? Ты здорова, все в порядке? Я не знала, что делать, ты не отвечала, я звонила Марине, она говорит, ты не пострадала?

— Нет, мамочка, и вообще все здорово преувеличили! Все не так страшно! Я несколько дней поживу в гостинице, ты же знаешь, я это даже люблю, а пока у меня поменяют дверь! Все хорошо, мамочка!

— Ты уверена, что это не Стас?

— Боже, мама, как ты могла такое подумать? Бред!

— Ладно, ладно, сама понимаю, что бред... Это я с перепугу. Только ты уж не пропадай! Свяжись со мной по скайпу, я хочу на тебя посмотреть!

— Мама, у меня сломался компьютер, еще вчера я отдала в ремонт. Но я что-нибудь придумаю и свяжусь с тобой. Все, мамочка. Никите не рассказывай!

— Он с внуками фрау Витачек уехал на три дня в Мюнхен.

— Слава Богу! Ой, мама, телефон разряжается. Все, целую!

Ей было мучительно вести этот разговор в присутствии Пирогова. Телефон зазвонил снова. Она глянула на дисплей. Стас! Ей показалось, что это якорь спасения.

— Алло!

— Варежка, родная, ты мне звонила? Я все знаю, где ты, я могу чем-то помочь?

— Да нет, мне уже помогли...

— Прошу тебя, давай встретимся! Я должен так много тебе сказать...

— Хорошо.

— В котором часу?

— Ближе к вечеру, часов в шесть.

— Давай!

— Где?

— Помнишь кафешку, которую нам Димка показал?

— Да.

— Ты почему так односложно отвечаешь? Тебе неудобно говорить?

— Совершенно верно.

— Тогда в шесть. Буду ждать.

— Ну, пока...

— Варежка, я люблю тебя.

Варя вспыхнула. Пирогов смотрел на нее с немым вопросом в глазах.

— Это по делу... — пробормотала Варя. — Мне тут предложили записать диск...

— О, какая роскошная идея! Почему она не мне пришла в голову?

– Иван Константинович! Прошу вас, хватит уже благодеяний... Я вам и так по гроб жизни обязана...

– Варя, я не желаю этого слышать! Это мой долг! Я практически сломал вашу семью и хочу хотя бы так загладить свою вину.

– А Марьяна...

– Марьяна с Алуськой сейчас во Франции, у нас там вилла.

– Иван Константинович, знаете, я бы все-таки предпочла пожить пока в гостинице...

– Что за чепуха?

– Это не чепуха. У нас с Марьяной сложные отношения, и я бы не хотела... без нее в ее доме...

– Ну, прежде всего это мой дом. Но если вы настаиваете... Артем, поворачивай в город, только вы будете жить в другой гостинице. И всего два дня. Я понимаю, вам прежде всего надо купить хоть какие-то вещи... Короче, сейчас я еду к себе в офис, потом вас отвезут в гостиницу, и сегодня в вашем распоряжении будет моя машина с охраной. На всякий случай. А послезавтра к вечеру вы уже переберетесь на новую квартиру.

– Спасибо, Иван Константинович... Но только деньги, которые удастся выручить за мою квартиру, вы возьмете себе!

— Зачем?

— В счет погашения долга...

— Да, вы совсем не похожи с сестрой... — как-то странно проговорил Пирогов.

Варе в его голосе померещилась даже какая-то тоска.

— Простите, Варя, я должен заняться делами. — Он взял телефон и стал куда-то звонить, Варя поняла только, что среди прочих дел он заказал ей номер в отеле.

Они уже подъехали к громадному офисному центру.

— Варя, сегодня к вечеру вам подгонят вашу машину. У вас есть деньги?

— Да, спасибо! Карточки были в сумке, со мной.

— И то слава богу! Ну, счастливо! Если с диском что-то не срастется, скажите мне!

— Спасибо!

— Да хватит меня благодарить! Мы же, в конце концов родня...

Варя иронически подняла бровь. До чего же хороша, чертовка, подумал он.

— Ладно, дело не в родне. Просто вы женщина, которая попала в беду... да нет, это все-таки не беда, а всего лишь... переделка. Женщина, попавшая в переделку. А я как-никак мужчина и обязан помочь! До свидания, Варечка!

И он кинул на нее взгляд, от которого ей стало как-то неуютно. Слишком мужской взгляд. Или это ей показалось? Наверное, показалось...

Гостиница была на Тверской. Номер оказался немыслимо роскошный, с небольшим бассейном. Воображаю, сколько такой номер стоит! Но я же не просила, это его инициатива, пусть платит, в конце концов, вину заглаживает... Вот, чувствует себя виноватым... А Марьянка — нет! Выходит, он все-таки человек, в отличие от моей сестрицы...

Первым делом Варя позвонила Рубану.

— Филипп Юлианович!

— Бася, сердце мое, я уже все знаю! Какой кошмар! Как ты? Не пострадала? Сегодня не приходи... Все равно от тебя не будет толку, но завтра как штык! Не вздумай распускаться, жалеть себя, это последнее дело! Ничего, этот скандал пойдет тебе на пользу, реклама, реклама!

Варя сорвала с себя все и прыгнула в бассейн. Ах, какое блаженство! Молодец все-таки Пирогов, обо всем позаботился. Конечно, хватило бы и душа, но бассейн! А я ведь сегодня увижу Стаса! Как я соскучилась по нему! Он сказал, что любит... А я? А я по-прежнему умираю от любви... Может, сегодня все решится и мы опять будем вместе? Если он любит меня, может, понял, что со мной нельзя так. И что я... что он... Он точно будет просить прощения. А я прощу его. Я давно его простила, я тоскую по нему... Я хочу его... наверное, это главное — я хочу его... Да, но у меня же не во что переодеться, даже белья свежего нет...

Она вылезла из бассейна, быстро оделась и, выйдя из номера, тут же наткнулась на охранника.

— Варвара Леонидовна, какие будут распоряжения?

— Мне нужно в какой-нибудь хороший торговый центр, у меня же ничего нет...

— Есть какие-то предпочтения?

— Да нет, я плохо знаю новые московские магазины.

— Хорошо, тогда будем исходить из соображений удобства и безопасности. Главное, чтобы была нормальная парковка. Водитель наверняка знает, куда стоит ехать.

— Простите, а как вас зовут?

— Аверкий.

— О, какое редкое имя!

— Прадед у меня был Аверкий.

— Священник?

— Точно! — обрадовался он.

— Ну что ж, Аверкий, поехали!

Стас и Денис обнялись при встрече.

— Ну привет, звезда экрана!

— Здорово, гений сыска!

— Выглядишь не очень, надо сказать!

— Устал зверски, все болит на фиг, и вообще...

— Ну, чего там у тебя, выкладывай! Время поджимает.

— Пойдем куда-нибудь поедим, я голодный...

— Можно.

— Жаль выпить нельзя, я за рулем.

— Так я тоже. Но ты обещал поляну...

— Это когда найдешь гадину. — Они зашли в кафе. Сели. — Девушка, примите заказ!

— Ой, мамочки, это вы? Автограф дадите?

— Без проблем, только одна просьба — меня тут нет, понятно?

— А как же!

— Ух ты, Стас, чего они в тебе находят, эта гирла уже готова тебе дать. Неужто дело в славе?

— В обаянии, Дениска, в обаянии, — рассмеялся Стас.

— Ну, что у тебя стряслось?

— Ты знаешь такую артистку Варвару Лакшину?

— Впервые слышу, а что?

— Телевизор не смотришь, прессу не читаешь!

— Когда мне?

— Ладно. Слушай! Я люблю эту женщину. А ее вчера крепко обидели.

— Изнасиловали, что ли?

— Да Господь с тобой! — побелел Стас. — Нет, ей подожгли дверь, прокололи все колеса и написали, чтоб убиралась в Германию. Найди мне, кто это сделал. Как друга прошу!

— Зачем?

— Надо!

— Стас, я же тебя знаю, я, допустим, найду, а ты его насмерть измордуешь и сядешь в тюрягу. Кому это надо?

— Не буду я никого мордовать, я вообще подозреваю, что это баба...

— А баб ты не мордуешь?

— Нет! То есть... Короче, старик, я знаю, ты меня не продашь, а я должен выговориться...

Денис удивленно взглянул на друга. Стас сидел, сцепив руки так, что побелели костяшки пальцев.

— Я никого и никогда не любил так, как ее, поверь, это правда. И вот ее единственную я... избил... Она ушла от меня. Но нигде никому словом не обмолвилась...

— Благородная, значит?

— Не то слово...

— А было за что бить?

— Так вопрос не стоит, женщин в принципе бить нельзя! Меня это день и ночь гложет...

— А она тебя любила?

— В том-то и дело... Любила как сумасшедшая.

— Так что ж ты руки-то распускал? Ну, чего не бывает, упал бы в ножки, прощения попросил.

— Пробовал, не помогло. А сегодня ночью, когда все это у нее случилось, она мне звонила... Помощи ждала, а у меня телефон был выключен...

— У бабы, что ли, был?

— В том-то и дело!

— Баба-то хоть стоящая?

— Да ну... Это я по пьяни... Я ее вообще не хотел, она пристала, как банный лист, ну я и сделал одолжение. Искусствоведка, черт бы ее взял.

— Ух, самый тоскливый народ... Я их знаешь, как называю? Искусствоедки! Кормятся за счет искусства в смысле...

Стас вымученно улыбнулся.

— Я так понял, старичок, что ты хочешь найти скотину, предъявить своей крале и таким образом вину загладить?

— Да нет, просто хочу объяснить гаду или гадине, что так себя не ведут... Короче, ты можешь тут что-то сделать?

— Попробовать можно, но нужна история вопроса.

— Какая история?

— Ну, расскажи мне про эту Варвару: кто, что, откуда, что у вас было, чего не было, ну и поглядеть на нее надо, придется ведь последить...

— Послушай, а если к ней наружку приставить? Чтобы охраняли?

— Охраняли или тебя информировали?

— Только охраняли! — жестко ответил Стас.

— Там видно будет. Рассказывай все с самого начала.

Стас рассказал, каким образом Варя попала в Москву, как у них мгновенно вспыхнула любовь, как по нелепой случайности сорвалась свадьба.

— А после свадебного путешествия мы вернулись в Москву, такие счастливые, веселые...

— И мамаши ваши, как я понял, подружились?

— Да! И парня ее я вроде победил... И вдруг предлагают мне двухмесячные съемки в Южной Африке, русско-английский проект, и бабки обещают заплатить такие, что сразу можно шикарную квартиру в Москве купить. Да и работа интересная. Варя меня отговаривала... Тяжело, ты и так переутомился, не надо, поживем на съемной еще... Ну, я сказал: если она откажется от съемок в фильме Шилевича, то и я откажусь. Она ни в какую! Ну что ж, значит, я уеду. И уехал. За два месяца вымотался так, что уже еле ползал... Хотя у англичан все цивилизованно, это тебе не наш бардак! Связи там практически не было, иногда я в город ездил, звонить... тосковал, как идиот, мучился, ни разу даже не трахнулся...

— Ну, это подвиг, брат!

— Представь себе. В Москву рвался как ненормальный.

— И что? Вернулся муж из командировки, а у жены...

— Ничего подобного! Просто, как попал я туда, где мобильник ловит, посыпались на меня всякие сообщения, считай за два месяца. Она-то знала, что бесполезно их посылать, а вот доброжелатели не в курсе были, ну и читаю: мол, ты дурак, твоя жена спит и с тем и с другим и с третьим. Причем если первых два, я точно знаю, просто друзья, то из-за третьего я просто спятил...

— Кто такой?

— Некто Пирогов, знаешь?

— Иван Пирогов, бизнесмен?

— Именно. Он, понимаешь ли, когда-то крутил роман с Вариной матерью, потом спутался с ее младшей сестрой, женился.

— Блин горелый!

— А младшая сестренка Варьку в дом даже пускать не хотела, мол, Ванечка явно неравнодушен к женщинам нашей семьи...

— Круто!

— К тому же он взялся спонсировать фильм Шилевича, да еще пиар-кампанию к сериалу...

— Да, дела... Этот Пирогов мужик видный, бабы на таких клюют.

— В том-то и дело! А он еще нам к свадьбе квартиру подарил...

— Да ты что?

— Ну, я вернул ему ключи. Мне таких подарков не надо.

— Ну ты гордый!

— А ты не знал?

— Так что было дальше-то?

— У меня крышу снесло, весь трясся от ревности, решил не предупреждать...

— Ну и?

— Ну приехал, захожу в квартиру. Никого. Все осмотрел, нет ли каких следов мужика постороннего. Ничего не нашел. А ее все нет, время к ночи... Ну, думаю, может, спектакль у нее или тусовка... Она в отличие от меня тусовки любит, нравится ей там красоваться. А я голодный, пошел на кухню, нарыл чего-то, поел, гляжу, бутылка водки початая, ну я и накатил... И трясет меня всего, как в лихорадке, так хочу ее... Я, брат, никогда ни одну бабу так не хотел... Слышу, ключ в двери поворачивается. Она в прихожей вещи мои увидала, как закричит: «Стас, ты приехал!» Вбегает, я просто обалдел —

такая красивая, в вечернем платье, практически полуголая, поддатая слегка, мне вдруг примерещилось, что вся залапанная мужиками, ну я и размахнулся... Она отлетела, у меня рука тяжелая, а я как с цепи сорвался. А она молчит, не плачет, не спрашивает за что, я и решил, что сама знает, накинулся на нее, платье порвал к чертям и на постель завалил. А она не сопротивлялась... наоборот... Утром проснулся, а на подушке записка: «Я тебя люблю, ни в чем перед тобой не виновата, но со мной так нельзя! Я больше ничего не хочу. Прощай!» Ну вот, собственно, и все, а вчера вдруг позвонила и сегодня согласилась со мной встретиться.

— Давно это было?

— Да уж почти полгода...

— Но ты в ножки падал?

— Падал, а она ни в какую.

— Так ты уж сегодня-то в руках себя держи, Стасик!

— Дэн, да я в жизни ни одну бабу пальцем не тронул...

— Она умная? — огорошил вдруг его вопросом старый друг.

— Умная? Не знаю... Но все понимает... А какое это имеет значение?

– Понимаешь... после этой сцены секс у вас был хороший?

– У нас вообще секс был хороший, – горько усмехнулся Стас, – а тут... это даже не секс был, а битва... не на жизнь, а на смерть... Но при чем тут это?

– Я, конечно, не знаю, но она могла подумать, что ты скоро опять прибегнешь к такому допингу...

– Ну ты даешь! Психолог, что ли?

– Сыщик обязан быть психологом.

– Да ерунда это... Мне и так было с ней хорошо, даже хорошо – это не то слово... Как никогда и ни с кем, а у меня знаешь, сколько баб было?

– Догадываюсь... И вот что я тебе скажу, браток. Не полезу я в это дело.

– Почему?

– По кочану! Ерунда все это... Ну, сожгли ей дверь, ну написали гадости, ну колеса прокололи... Тут просто зависть. Она небось уже и не помнит, раз с тобой на свиданку намылилась. Перышки, скорее всего, сейчас чистит. Помиритесь вы с ней, и забудет она про эти пакости. Что мне-то тут делать? Только тебя зря заводить, тем более и вправду на бабьи дела похоже.

— Да? Ну, может, ты и прав... Но знаешь, сыщик, тебе надо переквалифицироваться...

— В управдомы, что ли?

— Да нет, в психотерапевты. Мне настолько легче стало...

— Еще бы, душу излил, это помогает. Да, а у тебя карточка твоей Варвары есть? Интересно же...

— Есть! — Стас достал из бумажника фотографию Вари. — Вот она, моя Варежка...

— Варежка? О, какое лицо... Вот вроде бы не красавица... хотя нет, красавица, конечно, чем больше смотришь, тем лучше... Дурак ты, братец, такая женщина тебя полюбила...

— Сам знаю, что дурак.

— Ладно, если все же поженитесь, на свадьбу не забудь пригласить! Ну, счастливо тебе, рад был тебя повидать. Кстати, мама твоя поклонница, все любит вспоминать, какой ты был в школе...

— Привет ей передай!

— Ох, совсем забыл... — Денис вытащил из кармана диск с сериалом «Разведчик». — Напиши маме что-нибудь, она без ума рада будет.

— С удовольствием! Скажи маме, что ее пи рожки с картошкой не забуду до самой смерти!

А Варя и в самом деле чистила перышки. Там же, в торговом центре зашла в салон красоты, где ей вымыли голову, сделали массаж и маску, освежили лак на ногтях. Когда все процедуры закончились, она глянула на часы и поняла, что уже не успеет заехать в гостиницу. Тогда она попросила разрешения переодеться там же, в салоне, ее узнали и, разумеется, разрешили. Бирюзовое платье из тонкого трикотажа необыкновенно ей шло и очень соблазнительно облегало фигуру.

— Ой, Варварочка, можно вас сфотографировать? — заверещала администраторша. — Мы вашу фотографию у нас повесим, такая реклама будет...

— Пожалуйста! — милостиво разрешила Варя, сама в прошлом администратор салона красоты.

Когда она вышла из салона, Аверкий глупо и вполне непрофессионально заулыбался.

— Позвольте, Варвара Леонидовна... — Он забрал у нее пакеты.

Она шла по торговому центру и ловила на себе взгляды всех мужчин, правда, их там было немного. Но необходимый заряд бодрости она получила. Держись, Стас!

Они подъехали к кафе.

— Аверкий, пожалуйста, отвезите мои вещи в отель и можете быть свободны!

— Варвара Леонидовна, исключено! Хозяин велел вас отвезти в отель, когда освободитесь. Мы будем ждать!

— Но вы же наверняка голодны...

— Нам не привыкать. К тому же мы перекусим в этом же кафе, нам велено не спускать с вас глаз.

— Но вы не могли бы поесть в другом кафе? Вряд ли кому-то вздумается покушаться на мою жизнь.

— Варвара Леонидовна, это исключается. Мешать мы вам не будем.

— Ладно, черт с вами, только я могу хотя бы войти одна?

— Конечно. Я войду первый, огляжусь, если все нормально, зайдете вы.

— Хорошо, — махнула рукой Варя.

Охранники люди подневольные.

Действительно, вскоре Аверкий подал ей знак, что можно заходить. Это было небольшое тихое кафе, которое когда-то им показал Дима Бурмистров. Здесь хорошо кормили и к тому же для известных лиц имелся небольшой зальчик за загородкой. Случайных посетителей туда не пускали.

— Вас ждут, — тихо сказал ей метрдотель и открыл перед ней увитую искусственной зеленью калитку. Она мгновение помедлила, собираясь с духом, и вошла. Вид у нее был победительный.

Стас вскочил ей навстречу. Он плохо выглядит, подумала она.

— Варежка, родная!

— Привет, Стас! — она едва сдерживалась, чтобы не повиснуть у него на шее.

— Выглядишь потрясающе... Садись... — Он не знал, как вести себя. — Можно я тебя поцелую?

Она подставила ему щеку. Он чмокнул ее.

— У тебя новые духи?

— Да.

— Я гляжу, ты вроде не пострадала?

— Я — нет, но квартира... И все шмотки...

— Они что, сгорели?

— Нет, но в квартире кто-то был...

— У кого-то есть ключи?

— Нет. Но там замок несложный...

— Но где же ты теперь?

— В гостинице пока.

— Варежка, я сейчас живу у мамы, ну, ты же понимаешь, ей так легче.. Может, переедешь к нам? Ты прости меня, я был как сумасшедший тогда... Обещаю, нет, я клянусь, что такое больше не повторится!

— Стас, я не хочу это вспоминать. Но и забыть тоже трудно...

— И ты совсем меня больше не любишь?

— Люблю.

— Тогда поехали!

— Куда?

— В гостиницу, заберем вещи и к нам...

— Стас, ты, как всегда, спешишь! — улыбнулась Варя и погладила его по щеке. — А я умираю с голоду... утром в гостинице успела только кофе выпить. Надо же было все купить, у меня даже белья чистого не было...

— Прости, прости, я как всегда... — он стал целовать ее руки.

— Стас, я есть хочу!

— Ох, черт, прости... Официант! Я сам тебе закажу!

Варя только головой качала. Он все такой же, но я ведь такого и люблю... Я поеду к нему, я буду жить с ним и с его мамой, пусть, и не хочу я никакой квартиры от Пирогова, он мне помог сегодня, и спасибо ему, и хватит.

Стас, весело сверкая глазами, заказывал что-то и при этом держал ее руку. Официант ушел.

— Варежка, мне плохо без тебя... у меня как будто что-то отрезали, руку, например... Я тогда запил, по-черному, как никогда раньше... Чуть до белочки не допился... Мама вытащила...

— И, наверное, обвинила в этом меня?

— Представь себе, нет.

— Стас, я не хочу об этом говорить. Мне тоже было ой как плохо! Но давай просто забудем.

— Варежка, любимая!

Стас сидел на стуле, а Варя на диванчике. Он пересел к ней и стал ее целовать. Какое счастье, подумала она и закрыла глаза. Раздалось деликатное покашливание. Официант принес салат. Стас обаятельно улыбнулся ему и развел руками:

— Соскучился по жене!

В этот момент Варя увидела в вырезе его модной льняной рубашки то, от чего у нее потемнело в глазах.

— Ешь, Варежка!

— Подожди! — она отодвинула ворот рубашки, и ее взору открылась вполне недвусмысленная картина — свежий засос со следами зубов. Она помертвела. Такая злость и ревность захлестнули ее, что она размахнулась и что было сил съездила ему по физиономии. Он опешил.

— За что?

Она дрожащими руками выхватила из сумочки зеркало и сунула ему.

— На, полюбуйся! Значит, ночью, когда я тебе звонила, ты трахался с какой-то бабой! Ну и на здоровье!

— Варь, ты что...

— Я знаю, что ты скажешь. Ты мужик, тебе нужна баба, это ничего не значит, просто физиология, знаю я эти ваши кобелиные песни! И не смей ко мне прикасаться, я ухожу!

Он попытался удержать ее, она его толкнула, при этом с грохотом опрокинулся стул и мгновенно возник Аверкий.

— Помощь нужна, Варвара Леонидовна?

— Это еще что такое? — загремел Стас.

— Я ухожу! — И Варя вне себя выскочила из маленького помещения, пронеслась через зал и плюхнулась на сиденье предупредительно открытой для нее машины. Аверкий, однако, задержался. Стас держал его за грудки.

— Ты кто такой? Говори, а то убью!

— Успокойтесь, не советую шуметь, завтра все будет в прессе! Я всего-навсего охранник!

— Какой, на хер, охранник?

— Я охранник господина Пирогова, а сегодня мне поручено охранять Варвару Леонидовну.

Вот теперь помертвел Стас. Он выпустил Аверкия и рухнул на диванчик.

— Вали отсюда! Официант! Виски, да побольше!

Аверкий выскочил на улицу.

— С вами все в порядке?

— Теперь уже да! Поехали в отель! — распорядилась Варя. Вот теперь это действительно конец... Ну и ладно, пусть, не хочу ничего и никого! Буду жить, как живется, без всякой любви, кому она нужна, такая любовь... от которой люди теряют человеческий облик, распускают руки... Я никогда никого не била, даже Никитку ни разу не шлепнула, а тут... Я такое наслаждение испытала, съездив его по его колхозной морде! Воображаю, сколько баб у него за это время было, и ведь все как будто так и надо! А у меня никого... Я и вообразить себе не могла кого-то другого, а он... Физиология, видите ли! А у меня тоже физиология... Вот дам первому, кого захочу... Ее трясло. Вчерашняя ночь, весь сегодняшний день, усталость, голод — все это подогревало ее злость, жалость к себе, ненависть к Стасу... Нужна была какая-то разрядка. Напиться, что ли? Или поехать в какой-нибудь ночной клуб и оторваться там? Зазвонил телефон. Если это Стас, я ему все скажу! Но звонил Филипп Рубан.

— Бася, сердце мое, где ты?

— А что такое?

— Я хочу сказать, с Димой несчастье, он в больнице...

— Что с ним? Разве он в Москве?

— Подозрение на инфаркт, его прямо с самолета увезли в больницу!

— Где он? В какой больнице? Я сейчас же туда поеду!

— Поезжай, дорогая, я совершенно не могу выносить больничной атмосферы... Подбодри его... А что у тебя с голосом? С тобой-то хоть все в порядке? Согласись, сердце мое, что сожженная дверь — это все-таки относительный пустяк...

— Согласна, Филипп Юлианович, я сейчас к нему еду.

— И не забудь позвонить мне!

— Обязательно! Аверкий, пожалуйста, поехали вот по этому адресу...

— Как скажете, Варвара Леонидовна.

Варя влетела в приемный покой.

— Девушка!

Дежурная подняла на нее глаза и расплылась в улыбке узнавания.

— Ой, Марта! Вы к Бурмистрову?

— Да! Как он?

— Вроде обошлось! Инфаркта нет! Но привезли... — девушка закатила глаза. — Такой бледный, бедненький... Девчонки говорят, прямо без сознания был... Ой, а вас к нему, наверное, не пустят...

— Как же так? — растерялась Варя.

— Ну, если поговорить с дежурным врачом...

— А как его найти?

— Сейчас сообразим. Наташ, кто у нас в кардиологии нынче дежурит?

— Кушнарев. А что?

— Ты смотри, кто пришел!

— Ой, Марта! Надо же! Мне так ваш сериал понравился, просто клевый! Супер! Вы небось к Вернеру? Тьфу, то есть к Бурмистрову?

— Наташ, проводи к Кушнареву, может, он пустит Марту? Ой, вы, пожалуйста, извините, вашу фамилию еще не запомнила, Марта и Марта. Вы не обиделись?

— Да нет! Девочки, пожалуйста, проводите... А зовут меня Варвара Лакшина.

— Вот! Теперь уж точно не забудем! А вы автограф мне дадите?

— Конечно!

Когда Наташа увела Варю, к дежурной подскочила какая-то женщина, которая привезла сюда старенькую мать.

— Девушка, это у вас что, Лакшина сейчас была?

— Точно! Вот, автограф мне оставила!

— А к кому она?

— Да к Бурмистрову, его с подозрением на инфаркт привезли. Так расстраивалась, любовь, видно, у них!

— Да вы что! У нее любовь с Симбирцевым была!

— Ну, может, и была, а теперь, похоже... Да он и красивше в сто раз...

— Молодая ты еще, не понимаешь, — вздохнула женщина.

— Чего это я не понимаю?

— В Симбирцеве мужика столько... А Бурмистров ваш... Красивый, да, но... Не народный какой-то...

— Эх, бабуся, просто виноград зелен, — заметила девушка.

— Это я бабуся? — оскорбилась женщина. Но тут к ее матери наконец подошел кто-то из врачей, и она кинулась туда.

Дежурный врач Юрий Васильевич Кушнарев по телевизору смотрел только футбол и хоккей. Варю он не узнал, и больной Бурмистров для него ничем не отличался от других, а выпить хотелось смертельно. Аверкий сразу это просек и посоветовал Варе простимулировать доктора. Тот долго жеманиться не стал и попросил Аверкия сгонять за коньяком. Варя поручила ему купить еще несколько коробок конфет для девушек.

— Доктор, вы все-таки скажите, это точно не инфаркт?

— Я, по-вашему, не умею читать кардиограммы? Если бы инфаркт был, лежал бы ваш больной сейчас в интенсивной терапии, а он в обычной палате. Но вам я не советую к нему идти.

— Почему?

— Вид у вас больно заполошный. Сердечникам это ни к чему. Езжайте домой, выспитесь, а завтра в приемные часы милости прошу!

— Нет, завтра в приемные часы я занята! И если вы меня не пустите сейчас к нему, то и коньяк получите завтра.

— Да ладно, черт с вами! Только не рассказывайте ему никаких тревожных историй. Ему покой нужен.

— Хорошо! А что еще ему нужно, может, лекарства какие-нибудь?

— Лекарства есть. А вот неплохо бы ему курагу, а еще свеклу сырую со свежими огурцами. Свеклу на мелкой терке, и смешать с огурчиком. И чуть-чуть оливкового масла. А курагу дома залейте кипятком, предварительно, конечно, вымыв, пусть он пьет этот настой и курагу ест. Это на пользу!

— Спасибо, доктор!

— Ладно уж, идите... Такая красивая женщина тоже на пользу... — вдруг разглядел ее доктор.

Дима лежал в отдельной маленькой палате.

— Варька! Как я рад тебя видеть!

— Дим, что ты себе позволяешь?

— Ну, слава богу, вроде не инфаркт! Да и чувствую себя уже получше... А прихватило здорово... Ты откуда узнала?

— Рубан позвонил.

— Варька, сядь. Я ужасно выгляжу?

— Нет, даже еще красивее... Интересная бледность... Загадочность...

— Варь, а с тобой что?

— А что со мной? Просто я волновалась.

— Тебе бирюзовый идет. Ты такая красивая сейчас.

— Ерунда! Димочка, ты скажи, может, тебе что-то нужно привезти, я завтра утречком к тебе приеду, с лечащим врачом поговорю... Хотя, может, надо позвонить твоей девушке?

— Которой? — слабо улыбнулся Дима.

— Которой скажешь!

— Да нет, не хочу я никого видеть.

— А меня?

— Ты со мной кокетничаешь?

— Вот еще!

— Варька, что все-таки с тобой? Я же вижу... Глаза несчастные.

— Устала просто, день тяжелый был и голодная, все никак не поем...

— Варька, вон моя сумка, у меня там яблоки. Съешь скорее!

— Вот еще, буду я объедать больного...

— Да я даже думать о еде не могу... Бери, бери.

Варя достала из дорожной сумки два зеленых яблока.

— Ешь, мытые...

Варя откусила кусочек яблока. Оно показалось ей невероятно вкусным, сочным...

— О! — произнес Дима.

— Что?

— Ева, вкушающая запретный плод...

— А ты Адам?

— Ну не змий же... Ты, Варька, кого угодно доведешь до грехопадения...

— Димка, что за мысли для отделения кардиологии! — улыбнулась Варя.

— Мысли, свидетельствующие о том, что я не так уж болен!

— Димочка, мне так хреново...

— Что-то все-таки случилось? Опять Стас?

— С чего ты взял?

— А у тебя сейчас такое лицо... Вот когда ты от него ушла, у тебя было точно такое лицо... Он опять тебя избил?

— Избил? Что за чепуха! — перепугалась Варя. Она тогда ни одной живой душе не сказала о том, что между ними произошло. Лицо, к счастью, не пострадало, а поскольку была зима, она надевала глухие свитера с длинным рукавом, чтобы не видны были синяки.

— Варька, я еще тогда все понял, ты вдруг стала носить все закрытое, наврала, что упала с лестницы... Это вообще-то правильно, всякое в семье бывает и не надо об этом на весь свет звонить, а то вон одна актриса прославилась тем, что ее Андрюха Муравьев по роже съездил. Такая сенсация была...

— Димочка, ты мой самый лучший друг!

— Значит, правда? Не бойся, я никому не скажу.

— Правда... Но я все равно его любила...

— А теперь разлюбила, что ли?

— Наверное, еще нет, но я окончательно поняла — нельзя нам быть вместе...

— Ты это для него так оделась? Дуреха! И что? Он опять тебя прибил?

— Нет. Я его...

— То есть как? — рассмеялся Дима. — Скалкой огрела?

— Нет, просто съездила по физиономии.

— Ну и умница. А за что?

— Неважно. За дело.

— То есть ты с ним встречаешься?

— Нет. Просто так получилось. Ладно, Димочка, мне пора.

— Завтра сможешь приехать? — тихо спросил Дима.

— Конечно. Что тебе все же привезти?

— Вишню, обожаю вишню.

— Вот и отлично. Ну, я пошла!

— А поцеловать больного?

— С удовольствием. — Она поцеловала его в лоб.

— Так целуют не больных, а покойников!

— Перебьешься, симулянт! Ну пока!

— Знаешь, ты почаще носи бирюзовый! Тебе ни один цвет так не идет!

Варя в полном изнеможении упала на сиденье пироговского джипа.

— В отель, пожалуйста!

— Варвара Леонидовна, ваша машина уже на стоянке отеля.

— Ох, спасибо!

Аверкий проводил ее до номера.

— Спасибо вам огромное!

— Это наша работа! Да, господин Пирогов велел передать, что послезавтра утром вы сможете уже перебраться на новую квартиру.

— Передайте ему мою искреннюю благодарность. Спокойной ночи.

Войдя в номер, Варя обнаружила на столе новенький ноутбук. Ни фига себе! Вот старается родственничек! Но сил ни на что не было. Она только позвонила Филиппу и успокоила его.

— Спасибо, сердце мое! Надеюсь, завтра будешь на репетиции?

— Обязательно.

Варя без сил повалилась на постель. И мгновенно уснула, не раздеваясь.

Детектив Денис Воробьев по дороге домой купил диск с сериалом «Марта». Вот будет у меня выходной, посмотрю. Интересно, что за женщина такая... Ее фотография произвела на него впечатление. Если уж такой мужик, как Стас, с ума по ней сходит... Хотя Стас всегда легко терял голову. Но тут другое... На диске тоже была фотография Варвары в роли Марты. Время от времени Денис смотрел на нее и удивлялся. Вроде ничего особенного, а глаз не оторвешь. Втюрились, детектив Воробьев? В девушку с обложки? Это в вашем-то возрасте? Смешно, ей богу! Мне такая женщина только во сне присниться может. Интересно, сладится у них со Стасом? Вряд ли...

А Стас все сидел в кафе и пил. Значит, не зря я тогда ее избил... Значит, спуталась она с этим гнусным типом... Пополнила его семейную коллекцию... Мама и две дочки. Хорошо еще, у Варьки сын, а не дочь, а то такой бы через несколько лет и девчонку бы оприходовал... Тьфу, мерзость какая! Но зачем Варежка на это пошла? Из корысти? Не похоже. Может, он ее изнасиловал? Или шантажировал? Охранника к ней приставил, а она согласилась... Одним словом, лажанулся я, как всегда... И еще имела наглость сказать, что любит меня... Вранье, все вранье! Но зачем? Она же ушла от меня... К нему ушла... Конечно, у него возможности... Он, если надо, театр для нее откроет, кино снимать будет... Как я говорил ее сынишке: Фортуна нам улыбнулась... Ни хрена, сперва улыбнулась, а потом такую морду скорчила... Но до чего ж она хороша... Она с каждым днем все лучше... Где та милая испуганная девушка? Сейчас это роскошная гламурная стерва... А платье-то какое блядское, вызывающее... Такое, чтобы каждый мужик захотел ее завалить... И я захотел... Я ее всегда хочу, даже сейчас, хоть и знаю, что она спит с этим козлом! Неужели там, в Амстердаме, она притворялась? Нет, она так понимала меня, без слов, с полувздоха, с полувзгляда! Или тогда еще она не была с ним? Скорее всего... Вот когда я уехал надолго, тут он ее и уломал... А что ж она мне ночью звонила, а не ему? Или все-таки позвонила, меня не застав? А эта мымра, искусствоведка, все из-за нее вышло, ишь, страстная тварь, какой засос поставила, а я и не заметил... Заметил бы вовремя, надел бы закрытую майку, и все было бы хорошо... А чего, собственно, Варежка так взбеленилась? Ревнует? А чего ревновать? Какое у нее право теперь? Все они твари... Жаль, без них не обойтись... Физиология... Хотя, в принципе, можно... Просто брать одноразовых девочек. Не вступать с ними ни в какие отношения, кроме половых, трахнул — и гуляй! Делать мне, что ли, нечего...

Так и буду жить... Все равно... Сколько мне там жить осталось? Я думал, Варежка поможет, спасет... Артистка, блин! Прав Романыч, именно артистка, блин!

— Стас? Ты что тут делаешь? Опять в стельку? — кто-то тряс его за плечо.

— О! Папаша собственной персоной! — Стас не видел отца с момента своей несостоявшейся свадьбы.

— Стас, тебе не стыдно?

— А кого мне стыдиться, тебя, что ли?

— Ну вот что, пошли!

— Куда это? Я с тобой никуда не пойду!

— Я тебя отвезу домой!

— Спорим, не отвезешь! Я теперь с мамой живу!

— Ну и молодец! Пошли!

— Ни фига, сам доберусь!

— А ну прекрати! Я расплачу́сь. Пошли-пошли!

Официант помог Илье Геннадьевичу довести совершенно пьяного Стаса до машины и усадить его. Стас мгновенно уснул.

— Марина! — набрал номер бывшей жены Илья Геннадьевич. — Послушай меня!

— Не хочу я тебя слушать!

— Перестань, я тут Стаса обнаружил пьяного в стельку...

— О господи, где?

— В кафе. Сейчас везу его к тебе. Как буду подъезжать, спустись вниз и захвати лед.

— Какой лед?

— Обычный, из холодильника, иначе я его один из машины не вытащу.

— Но лед-то зачем?

— За шиворот ему сунуть! Помогает, проверено!

Утром Варя проснулась и сразу сказала себе: Стаса нет в моей жизни! Хватит! Сейчас надо поехать на рынок, купить все для Димы... Ох, я же в гостинице, где я терку возьму? Можно, конечно, купить терку, да нет! Надо воспользоваться своим лицом, меня теперь почти везде узнают! Она поплескалась в бассейне, быстро привела себя в порядок и, уже едва держась на ногах от голода, спустилась в ресторан. С позавчерашнего дня она съела только одно яблоко у Димы в больнице. Заморив червячка, она отправилась на кухню.

— Женщина, вы куда? — остановила ее девушка в белом халате.

— Простите, пожалуйста, — улыбнулась ей Варя.

— Ой, вы Марта!

— Она самая! Девушка, мне очень нужно немного сырой свеклы натереть на мелкой терке, добавить туда свежий огурчик...

— Заправить чем-нибудь? — деловито осведомилась девушка.

— Капельки оливкового масла будет довольно! И, если можно, положить в какую-нибудь баночку! Я заплачу, только скажите сколько.

— Да что вы, ничего не нужно! Наш шеф будет просто счастлив, он от вас без ума! Его сейчас нет, но вы автограф для него оставьте! Вы у нас остановились?

— Да!

— Ой, а приходите вечером, он вам такой ужин сделает!

— Постараюсь, — улыбнулась Варя. Слышать все это с утра было необыкновенно приятно.

Вскоре ей на столик, где она допивала кофе, поставили пластиковую баночку с натертой свеклой. И еще принесли листок из какого-то журнала с ее фотографией.

— Вот, распишитесь, пожалуйста, — тихо сказал официант. — Это для нашего шефа!

Машина и вправду стояла на гостиничной стоянке. Когда она уже выезжала оттуда, позвонил Пирогов.

— Варя, как вы?

— Спасибо, Иван Константинович, все в порядке уже. Как раз выезжаю со стоянки.

— А как здоровье Дмитрия Александровича?

— Я еще не была в больнице, но вчера вечером ему было уже лучше. Сейчас заеду на рынок и потом к нему.

— А что с вашим диском?

— Ничего.

— Надо будет это обсудить!

— Иван Константинович, я вас умоляю, не надо! Я уж как-нибудь сама! — взмолилась Варя.

— Как скажете! Но завтра примерно в это же время будьте, пожалуйста, готовы, будем переезжать...

Варя уже хотела открыть рот, чтобы гордо отказаться, но тут же передумала. А почему, собственно?

— Варя, вы только не думайте, что я потребую какой-то компенсации... Боже избави! Это просто возмещение ущерба, не более того!

— Спасибо, Иван Константинович!

— Охрана не нужна?

— Нет, благодарю!

— Тогда до завтра, Варя!

На рынке Варя купила килограмм самой лучшей вишни, курагу, букет ноготков, потом зашла в хозяйственный магазин, купила термос, кипятильник, большую кружку, высокую фарфоровую банку с крышкой и стеклянный кувшин для цветов. И помчалась в больницу.

Дима выглядел уже лучше. Правда, лежал с капельницей. Глаза закрыты. Какой же он неправдоподобно красивый!

— Димочка!

Он открыл глаза.

— Варька! Приехала!

— Ну, я же обещала! Купила тебе вишню, вот цветочки...

— Ноготки? Я их обожаю! Любимые цветы моей бабушки.

— Дим, обход уже был?

— Был.

— Что сказали?

— Что я симулянт.

— А капельницу зачем поставили? Лечить от симуляции?

— Ну, что-то в этом роде.

— Я пойду поищу лечащего врача, поговорю с ним и вернусь!

— Да ладно, посиди лучше со мной!

— Я еще посижу, мне сегодня только к Филиппу на репетицию и потом еще на радио.

— А к Филиппу когда?

— К трем.

— Варька, как я рад тебя видеть. А что это у тебя в сумке?

— Димочка, я поговорю с врачом, вернусь и все тебе расскажу.

— Надеюсь, расскажешь, что там у тебя с квартирой...

— Дим, откуда ты...

— Да от сестрички. Она мне тут про тебя все уши прожужжала и, насколько я понял, эту историю уже знает все мировое сообщество.

— Ладно, расскажу!

Варя побежала искать лечащего врача. Им оказалась пожилая женщина Эсфирь Давыдовна, невысокая, толстая, очень некрасивая, но с первого взгляда внушающая доверие.

— Вы к нашему артисту? И сами артистка? Что ж, дело хорошее. Только вот беречь себя наш больной не умеет. Уже рвется домой. А вы, милая девушка, уговорите его все-таки полежать у нас еще несколько деньков. Куда это годится, сорок лет, такой красавец, и в обморок упал! Это ж обследоваться надо... А он ни в какую! Лечите, говорит, то, что нашли, а рыскать в себе не позволю. Слыхали? Рыскать в себе! Я, говорит, дражайшая Эсфирь Давыдовна, врачей боюсь. Пойдешь к ним с расстройством желудка, а они у тебя рак заподозрят, начнут по кишкам фонарики гонять, натерпишься боли, страху, завещание побежишь писать, а они ручками разведут, извините, мол, погорячились! А нервные клетки не восстанавливаются. Знаете, девушка, самое интересное, что он по большому счету прав, ваш красавец. Анализы у него в общем-то неплохие, просто отдыхать надо хоть иногда...

Варя хотела вставить слово, но Эсфирь Давыдовна не дала ей такой возможности.

— Это раньше у нас считалось, что больного щадить нужно, но мы ж теперь все, как в Америке, хотим делать. У нас теперь гипер-диагностика в моде. Вот у моей сестры в прошлом году был случай. Она простудилась. Кашель, бронхит, то, се, ну что делает нормальный человек? Звонит сестре, которая уже давно неплохой доктор, так нет, моя умная сестра сначала лечилась сама. Кашель лечить в общем-то может каждый дурак. Ну, подлечилась. А потом у нее боли начались, в пищеводе, глотать не может, в панику впала... и опять не звонит сестре. Она, понимаете ли, не признает бесплатную медицину, сестре же она платить не станет, хотя я лично не возражала бы... И что вы думаете, ей ставят диагноз — рак пищевода! Красиво, да? Эта идиотка идет обследоваться! Конечно, никакого рака нет. А как вы думаете, что у нее было?

Эсфирь Давыдовна умолкла и выжидательно уставилась на Варю.

— От кашля все болело, да?

— О! Вы умница, а те врачи? Я вот думаю, они кто — идиоты или суволочи?

Она так и сказала «суволочи».

Варе вдруг страшно понравилась эта тетка.

— Я думаю, скорее суволочи!

— От то-то и оно! — Эсфирь Давыдовна подняла указательный палец. — А про вашего красавца я вам по секрету скажу: ничего страшного!

Но полежать тут немножко ему полезно. А вы, дорогая моя, просто приезжайте к нему, чтобы не скучал.

— Я тут ему курагу замоченную привезла, свеклу со свежим огурчиком... Вишни...

— Это хорошо, это очень полезно. И возите ему это... Тут за ним уход, лекарства, капельницы. Не помешает. Но, как говорится, жить будет!

Варя вернулась к Диме. Сестра как раз ставила ему еще одну капельницу.

— Ты видишь, что со мной тут вытворяют?

— Ой, ну вы скажете! — кокетливо захихикала молоденькая медсестра. — Это все на пользу, Дмитрий Александрович!

— И долго мне еще с этой штукой лежать?

— Да ерунда, минут сорок. К вам вот знакомая пришла... тоже артистка. Будет о чем поговорить!

— Это правда! — улыбнулся Дима.

Медсестричка ушла.

— Ну, что тебе сказали?

— Что жить будешь. Но надо еще полежать, полечиться.

— Сколько?

— Неделю.

— Кошмар! Я сбегу.

— Допустим, ты сбежишь. Но ведь можешь скоро опять сюда загреметь и уже надолго.

— Хорошо тебе говорить...

— Да, мне так хорошо... Лучше не бывает... — всхлипнула вдруг Варя.

— Ты что? Не вздумай! А ну, рассказывай, что стряслось.

Она рассказала.

— Это точно какая-то баба... Шмотки попортить — чисто бабская история. А переехать в хорошую квартиру, тем более в такой ситуации... Почему бы и нет? Стасу, конечно, западло было такой подарок принять, но вы, насколько я понял, всерьез разбежались?

— Всерьез! — решительно ответила Варя.

— Да, — задумчиво произнес Дима. — Теория индийского горшка только лишний раз получила свое подтверждение...

— Какого горшка? — удивилась Варя.

— А я тебе не рассказывал? Сейчас буду тебя просвещать. В нашей сумасшедшей жизни только под капельницей и можно поговорить. Так вот, у меня в молодости был друг, индиец. Хороший, красивый малый. И вот как-то я влюбился без памяти в одну девицу, она тоже не осталась равнодушна, короче, мы собирались немедленно пожениться. И вдруг Раджив мне говорит: «Нет, Дима, ничего из этого брака хорошего не выйдет. Кипяток быстро остывает...» «Какой, на фиг, кипяток?» — спрашиваю. А он говорит: «У нас, в Индии, считается, что семью и любовь надо строить по кирпичику, у нас пару подбирают с умом: родители, жрецы — словом, люди с опытом. Это, говорит, можно сравнить с горшком. Мы наливаем в горшок холодную воду, ставим на медленный огонь, и со временем вода, то есть любовь, все больше нагревается, понимаешь? А вы хватаете с огня горшок с кипятком, обжигаетесь, а вода между тем остывает...»

— Как красиво!

— Да! Вот вы со Стасом буквально с первой встречи схватились за горшок с кипятком, обожглись...

— Но кипяток-то не остыл, — едва слышно проговорила Варя.

— Но неизбежно остынет.

— А что же делать?

— Поставить на огонь холодную воду.

— А с кем?

— Со мной.

— Дим, ты что?

— Варька, выходи за меня замуж.

— Дим, мне не до шуток...

— А я и не шучу.

— Ты с ума сошел?

— Нет, я в своем уме... И, как говорится, будучи в здравом уме и твердой памяти, прошу твоей руки.

— Дим, но я же...

— Я знаю, ты еще любишь Стаса. Но у вас с ним нет никаких перспектив.

— Почему?

— А почему тогда вы врозь? Потому что ты сама понимаешь: нельзя жить с мужчиной, который способен бить женщину. Это нонсенс...

— Да не бил он меня, я правда тогда упала с лестницы, поскользнулась...

— Ну да, поскользнулась и тут же ушла от Стаса.

— Все было наоборот! Мы здорово поругались, он вернулся из Африки в ужасном состоянии, нервы ни к черту, ну, мы поругались, даже не помню из-за чего, я разозлилась и выбежала на лестницу, а там...

— А там Аннушка уже разлила масло, да? — усмехнулся Дима. — Чудачка, ты же вчера проболталась.

— А ну тебя...

— Варь, скажи, ты ведь хорошо ко мне относишься?

— Кто бы спорил...

— И я к тебе тоже. Мы понимаем друг друга, мы коллеги, я многому еще смогу тебя научить в профессии, мне с тобой, даже неопытной, играть одно удовольствие. Так давай попытаемся.

— Поставить холодную воду на огонь?

— Именно. Я не говорю сейчас, сейчас ты еще умираешь по Стасу... И он наверняка тоже... Но через полгодика, а?

— Через полгодика? Там видно будет!

— То есть, ты мне не отказываешь категорически?

— Нет.

— Вот и чудесно! И ты не станешь меня избегать?

— С какой стати? Не надейся! Завтра опять к тебе приеду! Да, кстати, вот съешь-ка!

— Это что?

— Свекла с огурцами.

— Гадость какая! Зачем это?

— Укрепляет сердечную мышцу. И еще будешь пить вот эту водичку и есть курагу.

— Ладно, потом попробую.

— Нет, съешь свеклу сейчас!

— Как это я буду есть с капельницей?

— А я тебя покормлю, с ложечки!

— Это, пожалуй, интересно.

Варя села на кровать и принялась кормить его с ложки. Он покорно все съел. Варя утерла ему рот салфеткой.

— Варь, ты так это делала... У меня есть идея — надо чуть-чуть адаптировать эту индийскую историю к нашей ситуации.

— Каким образом?

— Я в эту самую минуту ставлю свой, отдельный горшок на крохотный огонь. И тебе предлагаю сделать то же самое.

— Но...

— Погоди, дай сказать! Если мы так поступим, то через полгода вода у нас обоих может хорошо нагреться, допускаю, что мой горшок нагреется сильнее, мы сольем вместе нашу воду, и все у нас будет отлично! Нам будет еще что нагревать... Я сразу оговорюсь — никакого секса пока, ты не думай... Только если сама захочешь.

— Дим!

— Только ты, пожалуйста, ничего такого не думай, мы по-прежнему останемся друзьями.

И вообще, забыли об этом разговоре. Пока... Ты завтра-то приедешь?

— Конечно, мы же друзья!

Варя выскочила на лестницу и остановилась перевести дух. Неужто Димка испытывает ко мне какие-то чувства, кроме дружеских? Зачем это? Я не хочу! Я все равно люблю Стаса и даже представить себе другого мужчину не могу. Наверное, я просто идиотка... Как Дима сказал — жить с мужчиной, который тебя бьет, это нонсенс... Но ведь нельзя сказать, что он меня бил... Он просто один раз потерял голову от ревности... Недаром же немцы говорят: «айнмаль ист кайнмаль», то есть один раз не в счет... И потом я ведь тоже дала ему по морде. Мы квиты! Но все-таки права не я, а Дима... Но как представлю, что Стас был с какой-то бабой... Нет, не буду я о нем думать, ничем хорошим это все равно не кончится... А эта индийская теория, в ней есть сермяжная правда...

И Варя в задумчивости стала спускаться по лестнице.

— Варюха? — услышала она вдруг знакомый голос.

— Борис Аркадьич? Что вы тут делаете?

Это был оператор, снявший «Марту» и «Адрес любви».

— Я, как видишь, лечусь, а ты? Кого-то навещала?

— Ну да, тут Дима лежит.

— Какой Дима? Бурмистров?

— Да. А с вами что?

— Язва обострилась. А Димка что, в кардиологии? Это ты разбила ему сердце?

— Да что вы! А как вы себя чувствуете?

— Получше уже! Надо будет навестить Димку. Ну, как ты живешь? Не помирилась со Стасом?

— Да нет.

— Жаль, это было так красиво! Как он тогда перепрыгнул через стол! Загляденье! Варюха, а почему такие несчастные глаза? Ты его любишь?

— Борис Аркадьич!

— Скажешь, это не мое дело? И будешь права.

— Борис Аркадьич, я завтра опять приеду к Диме...

— А без тебя некому, что ли?

— Он никого не желает видеть. Так я что хотела спросить: может, вам что-то нужно? Привезти что-нибудь, — пояснила она в ответ на его недоуменный взгляд, — что-то вкусное? Тортик, например?

— Издеваешься? К тому же меня жена всем снабжает. А если просто навестишь старика, буду рад. Знаешь, Варюха, ты так невероятно изменилась за эти полтора года, настоящей секс-бомбой стала. Ах, Сенька, глаз-алмаз! Но главное — настоящей артисткой...

— Блин?

— Блин, блин! — радостно засмеялся Борис Аркадьевич. — Кстати, получил вчера мэйл от Сени, они там с Надюхой специально на тебя сценарий ваяют, опять полный метр сделать хотят.

— Правда? — восторженно вспыхнула Варя.

— Я похож на вруна? Ты Сеньке такую удачу принесла!

— Нет, это Семен Романыч мне удачу принес!

На лестничную площадку вышел какой-то мужчина в больничной пижаме.

— Борис Аркадьевич, все жене донесу, это ж надо, какую красотку обхаживает! Да, вы, киношники, везучий народ, любая баба ваша...

Борис Аркадьевич страдальчески поморщился.

— Мне, Валерий Васильевич, уже такие девушки не по зубам! Ладно, Варюх, иди! А Дима в какой палате?

Весть о том, что Семен Романович хочет опять снимать ее, несказанно обрадовало Варю. Я ведь давно уже считала, что у меня нет шансов стать актрисой, вдруг судьба улыбнулась мне, так о чем я думаю? Любовь? Да какая там любовь, просто страсть, Стас фантастический любовник, но действительно мы слишком рьяно ухватились за горшок с кипятком... Пора уж одуматься... К тому же это немыслимо — удачная карьера, да еще и такая любовь в придачу? Слишком невероятно! И у него ведь тоже карьера удалась... Две удачные карьеры и великая любовь? Абсурд, так не бывает! Это не любовь, так, химера, не жертвовать же мечтой всей жизни ради химеры! И приняв благое решение, она поехала на репетицию.

Детектив Денис Воробьев нещадно ругал себя. Дурак, дубина стоеросовая, чмо, болван, козел, мудак, отморозок хренов! Дело в том, что, посмотрев сериал «Марта», он по уши влюбился в артистку Лакшину! Она снилась ему по ночам, он все время слышал ее волшебный голос, и дикая ревность, почти ненависть к старому другу Стасу Симбирцеву отравляла душу. Он смотрел сериал уже семь раз, и каждый раз сцена, где Никитин, обезумев от страсти, целует Марту, заставляла Дениса скрипеть зубами. В то же время он прекрасно помнил, что рассказал ему Стас, как он, такой лосяра, поднял на нее руку... а потом у них был какой-то невероятный секс, «даже не секс, а битва»... Но он вполне отдавал себе отчет в том, что ему такая женщина не светит... Не бывает у скромных детективов таких женщин, разве что в кино, да и то, если детектива сыграет Стас Симбирцев!

— Денис, тут тебя спрашивала какая-то бабенка, — сказал младший партнер и помощник Веня.

— Где спрашивала?

— Звонила, скоро придет.

— Чего ей надо?

— Не сказала, но спросила Дениса Воробьева.

— Ладно, придет, поговорим! А что насчет Тупорыльца?

— Все путем! Вот скажи мне, о чем думает баба, выходя замуж за человека по фамилии Тупорылец?

— Баба думает о том, чтобы поскорее захомутать богатенького мужика, а вот о чем думает мужик, выходя в жизнь с фамилией Тупорылец?

— Загадка сфинкса! — это было любимое выражение Вениамина. — О, а вот, кажется, твоя новая клиентка, на мерине ездит. Это сулит неплохие бабки!

Открыв дверь, Вениамин даже присвистнул — потенциальная клиентка была на диво хороша!

— Вы господин Воробьев? — обворожительно улыбнулась незнакомка.

— Нет, я его помощник и партнер, позвольте представиться, Вениамин Волошин.

— Очень приятно, но у меня строго конфиденциальное дело к господину Воробьеву.

Знаем мы, какое у тебя дело, за мужем следить или же за любовником, про себя произнес Веня и открыл дверь в кабинет Дениса.

Тот тоже оценил внешность клиентки. Она была очень хороша. Ему даже померещилось какое-то сходство с любимой артисткой Варварой Лакшиной.

— Присаживайтесь! Чай, кофе?

— Нет, благодарю, если можно, перье.

— Минуточку! — Он достал из холодильника бутылочку перье.

Посетительнице понравилось, что этот довольно простого вида мужик держит в холодильнике перье. Значит, у него действительно бывают приличные клиенты, которым не дашь какой-нибудь «Шишкин лес» или «Аква минерале».

Она отпила глоток, поставила стакан и сказала:

— Мне нужно, Денис, чтобы вы проследили за одной женщиной!

— Как скажете. И кто эта женщина? У вас есть ее фотография?

— Разумеется, есть. Но я хотела бы кое о чем предупредить вас.

— Я весь внимание.

— Это дело не просто конфиденциальное, а строго секретное. Поэтому мы не будем оформлять наши отношения, я просто сейчас, если вы согласитесь на мои условия, заплачу вам пятнадцать тысяч евро. Если слежка даст результаты, вы получите еще столько же. И, разумеется, я оплачу все, так сказать, накладные расходы. Ну, если там придется куда-то поехать и так далее. Мне нужно знать, с кем встречается эта женщина. Если удастся получить компрометирующие материалы...

— Какие именно? Факт прелюбодеяния?

— Именно! Но... впрочем, неважно! Короче, десять тысяч евро на накладные расходы. Вот! — дама вытащила из сумочки две пачки денег, побольше и поменьше. — Никаких отчетов по деньгам не требуется. Вас такие условия устраивают?

— А ваша фамилия?

— Это ничего не потребуется. Как говорится, баш на баш! Я вам сразу деньги, вы мне постепенно информацию. Годится?

— Ну, в принципе, почему бы и нет? Вам нужна расписка?

— Нет. Я вам доверяю.

— Ну что ж... Надеюсь, никаких дополнительных услуг, кроме слежки, вы не потребуете?

— Что вы имеете в виду? Убийство? — засмеялась дама. — Нет. Только добросовестная информация.

— Еще вопрос. Эта женщина живет в Москве?

— В основном да. Кстати, если ее разъезды обойдутся вам в сумму, которая превысит десять тысяч, вы мне представите отчет, и я немедленно все возмещу. Вот адрес этой женщины и ее фотография. — И она протянула Денису конверт.

Он открыл его. Там лежала фотография... Варвары Лакшиной!

— Это ведь актриса... Лакшина, да?

— Да.

Денис хотел было категорически отказаться, но деньги были очень нужны, да и мысль о какой-то даже косвенной связи с Лакшиной показалась вдруг очень заманчивой.

— Ну что ж... Только вы, вероятно, понимаете, что я один не в состоянии круглосуточно следить за... ней. Придется подключить, как минимум моего партнера...

— Конечно, но вы ведь не должны ему что-то объяснять, правда?

— Разумеется. Еще вопрос можно?

— Пожалуйста!

— Вас интересует факт прелюбодеяния с любым партнером или же... с каким-то определенным?

— Почему вас это должно волновать?

— Объясняю. Дело достаточно сложное — устанавливать факт прелюбодеяния. Поверьте профессионалу! Я твердо убежден, что вас интересует кто-то один, поэтому лучше сказать, чтобы мы зря не тратили время и силы.

— Но я ведь вам все оплачиваю и довольно щедро. Нет, дело тут не в мужчине, а в поведении этой женщины.

— То есть мы просто собираем досье на Варвару Лакшину?

— Совершенно верно.

— Что ж, попробуем... А как мы будем связываться с вами?

— Полагаю, для начала я буду звонить вам раз в неделю. А там будет видно.

— А если что-то срочное?

— Срочное? — красавица нахмурила лоб.

— Позвольте дать совет.

— Ну?

— Купите сим-карту и пользуйтесь ею только для связи со мной!

— Хорошо... Но лучше купите сами, на свое имя.

Детективных сериалов насмотрелась, усмехнулся про себя Денис.

— Хорошо. Вень, не сочти за труд сбегать за симкой, купишь на свое имя.

— Я мигом! — с готовностью откликнулся Вениамин.

— Вот и прекрасно! — сказала дама.

— Такой красивой женщине сложно в чем-нибудь отказать, — заметил Денис. — Я вот даже вопреки своим принципам согласился на полную вашу анонимность, — смеясь про себя, заметил Денис. — Вот уж точно, в раба мужчину превращает красота!

Тут вернулся Вениамин и вручил красавице новую симку.

— Благодарю. Ну, мне пора. До связи, Денис!

Денис встал и проводил даму до дверей.

— И чего хочет? — спросил Веня, не присутствовавший при разговоре. — За мужем небось следить?

— Что-то в этом роде. Ты вот что, Вениамин, пробей-ка по базе ее номерок.

— Ее?

— Ее, ее! Надо ж мне знать, кто наша клиентка.

— А она, что ли, не представилась?

— Нет. Мадам желает, чтобы все было анонимно, а я этого терпеть не могу, чувствуешь себя полным кретином.

— Но в таком разе кретинка как раз она. Приехать на своей тачке...

— Она дура, это точно.

Вскоре Вениамин положил на стол шефу файлик с данными таинственной клиентки. Ею оказалась Марьяна Валерьевна Пирогова, жена известного предпринимателя Ивана Константиновича Пирогова.

— Блин горелый! — почесал в затылке Денис. Похоже, там и в самом деле что-то нечисто. Стас из-за этого Пирогова любимую женщину потерял, а теперь вот пироговская супружница слежку заказывает. Причем не за ним, а за ней... Интересно... А ведь это судьба, вдруг сообразил Денис, либо я, проследив за Варварой, узнаю о ней что-то такое, что меня от нее отвратит, и это будет прекрасно, либо я, наоборот, смогу ей помочь, если что-то пойдет не так, а там... кто знает...

— Вень, а мы разбогатели! Пошли по такому случаю в ресторан обедать!

— С полным и абсолютным удовольствием! Так чего все-таки эта олигархиня хочет?

— Чтобы мы за одной артисткой проследили.

— За артисткой? — присвистнул Вениамин. — Кто такая?

— Варвара Лакшина, слыхал?

— Не-а! А почему не за мужем?

Денис молча развел руками.

— Загадка сфинкса! — произнес свою коронную фразу Вениамин.

Новая квартира привела Варю в восторг! Двухэтажная, с тремя туалетами, ванной наверху и душевой внизу, она была уже обставлена, кстати сказать, очень красиво и уютно. Ну и с какой стати я должна была отказаться от такой роскоши? Пирогов ведь ничего от меня не требует, он просто заботится обо мне! Вон даже домработницу привел, милейшую женщину лет пятидесяти, которая ко всему прочему еще великолепно готовит, у меня в доме теперь всегда есть еда, лишь бы время выбрать, чтобы поесть... А со временем совсем плохо!

Варя начала сниматься в восьмисерийном сериале, играла в спектакле у Рубана, репетировала новый, выполняла многие требования Кати Вершининой — давала интервью, снималась в ток-шоу, ходила на тусовки. Словом, загружала себя так, чтобы не было времени вспоминать Стаса.

Как-то утром ей позвонила Надежда Михайловна.

— Варюшка, мы приехали! Привезли новый сценарий, специально для тебя написанный! Как ты живешь, девочка?

— Господи, тетя Надя, как же я соскучилась! Мне вас так не хватало! Столько всего случилось! Я так хочу вас видеть и Семена Романыча тоже... Ой, вы знаете, я переехала!

— Куда?

— А вот в ту квартиру, которую Пирогов подарил. Вы слышали, что у меня дверь сожгли, вещи все попортили?

— Да слышали, мерзость какая! Но, как я поняла, со Стасом вы не помирились?

— Нет, это оказалось невозможно, — сухо ответила Варя. — Но, тетя Надя, мне столько надо вам рассказать, и еще я хочу позвать вас в гости!

— Ну что ж, можно и в гости! Тем более, у нас ремонт еще не кончился.

— Знаете, сегодня у меня жуткий график, мы с Димой вечером «Шмеля» играем...

— Кстати, как его здоровье, мне Боря писал, что он лежал в больнице?

— Сейчас уже все хорошо.

— А знаешь, я, пожалуй, приду на спектакль, а потом, может, посидим где-нибудь?

— Чудесно, тетя Надя! Буду счастлива! А Семен Романыч тоже придет?

— Нет, он театр не очень жалует, тем более летом. А вы где играете?

— В театре Пушкина.

— Вот и чудно.

Варя страшно обрадовалась, Надежде Михайловне все можно сказать... Матери же она до сих пор не сказала, что живет в квартире, подаренной Пироговым. Хотя в тот раз, когда к ним приехала мать Стаса, чтобы прийти в себя после того, как муж ее бросил, и случайно, к ужасу Вари, упомянула о Пирогове, Анна Никитична вызвала Варю к себе в комнату и жестко сказала:

— Я так понимаю, что ты виделась с Марьяной?

— Виделась, но это случайно получилось...

— Но ты уже в курсе, что между нами произошло?

— Да.

— Ну, и я, по-твоему, не права?

— Права, мамочка, права. А Марьянка такая дура оказалась... — И Варя рассказала матери о первой встрече с сестрой.

В глазах матери мелькнуло торжество.

— Ага, боится, значит, за свое сокровище... Ну пусть боится! Так ей и надо!

— Мама!

— Что мама? Я никогда и никого не любила так, как Ивана! Никогда и никого! Я все понимала и про разницу в возрасте и про невозможность долгого романа, но и в страшном сне увидеть не чаяла, что мне подложит свинью родная дочь! И ведь это не было случайностью. Она добивалась своей цели хитро, подло и, что главное, планомерно. Вот этого я никогда ей не прощу! К тому же я не уверена, что она любила его, а не его положение и деньги!

— Да нет, мама, она его любит.

— А, по-моему, она любить не умеет вообще. И знаешь, Варька, если бы не Стас...

— При чем здесь Стас? — испугалась Варя.

— Знаешь, я была бы даже рада... если бы ты у нее Ивана отбила! Пусть бы знала, мерзавка, каково это...

— Мама, ты с ума сошла! — закричала Варя.

— Да... Я сошла с ума... Поневоле сойдешь...

— Ты что, до сих пор его любишь?

— Нет, давно уже нет... Но, знаешь, я поняла, что многие любовные драмы замешаны не столько даже на любви, сколько на уязвленном самолюбии. Поверь, зачастую это такая непереносимая боль... Но не каждая женщина в состоянии со своими чувствами разобраться...

— А мужчины?

— И мужчины тоже.

— Знаешь, мама, Пирогов купил нам со Стасом квартиру на свадьбу. В знак возмещения ущерба...

— Но Стас, конечно же, отказался?

— Конечно.

— Опять-таки самолюбие взыграло! Но это-то как раз правильно. Он мужик, настоящий мужик, твой Стас!

После того разговора Анна Никитична ни разу больше не заговаривала о Пирогове, не требовала, чтобы Варя отказалась от съемок в фильме, который он спонсировал, но в Москву по-прежнему отказывалась ехать, даже когда Варя пригласила ее на премьеру «Песен шмеля»...

— Бог даст, приедете сюда на гастроли, русская антреприза частенько бывает в Германии...

А Никита в начале лета приезжал в Москву, и даже ездил с Варей на «Кинотавр» и прошел с ней по красной дорожке вместо кавалера, что вызвало восторг и умиление зрителей и журналистов. Идея принадлежала Кате Вершининой! Дима на фестиваль не поехал, со Стасом они уже расстались, Семена Романовича тоже там не было, а идти абы с кем Варя не пожелала. Зато Никита был невероятно горд и счастлив. Он ничего не говорил про Стаса, как будто забыл о нем. И только один раз, когда Варя о чем-то поспорила с ним, он поднял на нее глаза и сказал:

— Мама, не спорь, я это точно знаю!

— Как ты можешь это знать?

— Но знал же я, что твой Симбирцев плохой!

Варя прикусила язык.

Она обожала играть «Песни шмеля». И хотя каждый раз перед спектаклем ее трясло от волнения, выходя на сцену, она ощущала такое счастье! Как-то на гастролях в Екатеринбурге Дима вдруг без предупреждения начал играть совершенно по-другому. Сначала она испугалась, но потом вдруг поймала его любопытный взгляд и повелась за ним, как рыба за блесной...

— Молодчина! — шепнул ей Дима.

— А ты сволочь!

— Нет, просто не всегда же ты будешь играть со мной, должна быть готова ко всяким передрягам...

Филипп, который присутствовал на спектакле, разразился длинной речью по поводу влияния какого-то отдельного уральского космоса, а в результате сказал:

— Вы, каждый сам по себе, превосходные артисты, но в дуэте вы совершаете просто чудеса! Я не люблю все эти ваши фильмушки, но Шилевичу отдаю должное! Какой изумруд он откопал в Альпах! Да еще догадался спарить его с таким бриллиантом, как Дима! Браво!

И хотя на репетициях он иной раз нещадно ругал своих артистов, но, если был доволен, расточал им невероятные комплименты, и они его боготворили!

После выхода Димы из больницы это был первый спектакль.

— Варька, сегодня, несмотря на лето, полный зал! — сказал Дима, целуя ее в щеку.

— А разве у нас не всегда полный зал?

— Ну, ты что! Нельзя так говорить! Какие планы после спектакля?

— С тетей Надей встречаюсь, пошептаться надо.

— А кстати, как там кастрюля?

— Какая кастрюля? — не поняла Варя.

— Надеюсь, она стоит на маленьком огне?

— Господи, раньше это называлось горшком! — засмеялась Варя.

— Неважно. Конфорку-то включить не забыла?

Но тут его кто-то позвал. Неужели он не шутил? — испугалась Варя.

Варя соскучилась по этому спектаклю, тем более что и Дима явно был в ударе. Публика тоже попалась легкая, прекрасно реагировавшая на каждую реплику. По ходу пьесы герои танцуют, вернее, не столько танцуют, сколько топчутся под медленную музыку. В этой сцене на Варе шикарное черное платье, с очень низким вырезом на спине. Сколько уж раз они играли эту сцену, и вдруг Варя почувствовала, что Димина рука, лежащая у нее на спине, ведет себя как-то неправильно... Она вздрогнула.

— Это я конфорку включил, — шепнул он ей на ушко. Ее обдало жаром.

— Дим!

В последней сцене герой застает героиню стоящей у окна. Она ждет, когда он выйдет из дома, они только что смертельно поссорились и, казалось бы, простились навсегда. Но он на цыпочках входит в комнату, приближается к ней, кладет ей руку на плечо. Она резко оборачивается и оказывается в его объятиях. Тут всегда гром аплодисментов! Но сегодня Дима подошел к ней, обнял сзади и прижался губами к шее. Потом сам резко развернул Варю лицом к себе и поцеловал. По-настоящему. Гром аплодисментов не заставил себя ждать. Занавес закрылся. К ним подскочил Филипп:

— Гений! Гений! — зашептал он Диме. — Сколько страсти, сколько чувственности! Так и дальше играйте!

Их долго вызывали на поклоны, подносили букеты, Филипп тоже выходил кланяться. Варя искоса взглянула на Диму. Он был невозмутим. Но в какой-то момент она поймала его взгляд. Глаза смеялись. Слава богу, это была шутка, очередная его выходка.

Наконец, Варя принялась снимать грим. В дверь постучали.

— Войдите!

— Варежка!

— Надежда Михайловна! Тетя Надя!

— Варька, ты была прелестна! Вы такой дивный дуэт! Я огромное удовольствие опять получила! А все-таки это не Сеня, а я тебя первая заметила! Снимай скорее грим, хочу тебя расцеловать! Слушай, у вас с Димой что-то есть?

— Вы о чем? — перепугалась Варя.

— У вас роман?

— Да что вы! Ничего такого нет!

— Значит, будет.

— Нет, нет, с чего вы взяли?

— Он в тебя влюблен, Варька.

— Тетя Надя, это чепуха! Он вечно меня испытывает на сцене, то одно придумает, то другое... Не берите в голову!

— Ну, а другой кто-то уже завелся?

— Тетя Надя...

— Только не говори, что любишь Стаса!

— А если так?

— Но как можно? Все знают, что он тебя бил!

— Тетя Надя, он меня не бил! Никогда! Почему сразу все решили, что он меня бил? Стас хороший, благородный человек, он в принципе не может ударить женщину, он любил меня, и я просто не понимаю, откуда эта глупость взялась!

— Ну-ну, не горячись так, мне тоже это показалось странным. Просто кто-то сказал: Варя ушла от Стаса, вся в синяках...

— Ну да, я была вся в синяках, потому что поскользнулась и упала, зима была, скользко...

— А почему ж ты все-таки от него ушла?

— Тетя Надя, я готова, пошли куда-нибудь посидим, и я все вам расскажу.

— Хорошо, пошли! Я заказала столик в «Пушкине», чтобы не возиться с машинами. Пройдемся пешочком?

— С удовольствием.

Когда они вышли, Дима как раз отъезжал от театра.

— Дамы, вас подвезти?

— Спасибо, Димочка, мы пешком! — улыбнулась Надежда Михайловна.

— Тогда пока! — В машине у него сидела какая-то девица.

— Вот видите! — сказала Варя, но ей это было почему-то неприятно.

— Наверное, зря я на «Пушкин» нацелилась, там всегда встретишь знакомых.

— Не обязательно, — пожала плечами Варя. — Может, повезет. Ой, тетя Надя, а давайте поедем сейчас ко мне? Посмотрите мою квартиру...

— А у тебя еда какая-нибудь есть?

— У меня теперь всегда есть еда. Это, правда, далековато, но...

— А поедем! Сейчас только отменю заказ... А как поедем, на двух машинах?

— Нет, на вашей, моя на сервисе.

— Отлично! Тогда поехали!

По дороге они болтали обо всем на свете, и Варя очень надеялась, что разговор уже не вернется к Стасу. Но вскоре попали в пробку, и Надежда Михайловна вдруг огорошила Варю вопросом:

— И все-таки, детка, почему ты ушла от Стаса?

— Потому что... он слишком властный... слишком любит командовать... И еще он ревновал меня к каждому столбу.

— И к Диме ревновал?

— Нет, к Диме как раз не ревновал. Но Пирогов был у него как кость в горле, и он потребовал, чтобы я не снималась у Семена Романыча, ему тогда как раз предложили этот английский проект, я не хотела, чтобы он соглашался, он плохо себя чувствовал, был измотан, рука страшно болела, а он заявил: если ты откажешься сниматься, я останусь. Но я не могла, и он уехал. А вернулся совершенно не в себе... Его еще забросали сообщениями о том, что я живу чуть ли не со всей Москвой, и он категорически заявил: или я или кино! Вот я и выбрала... Хотя мне это безумно тяжело далось.

— И он не одумался?

— Да нет...

— А если бы?

— Не знаю...

— А Дима?

— Что Дима?

— Он тебе еще предложения не делал?

— Да нет, с Димой мы просто друзья.

— Знаешь, я должна тебе сказать, что ты, конечно, за полтора года сделала поистине головокружительную карьеру.

— Это все благодаря вам, тетя Надя!

— Знаешь, я тебя люблю и часто о тебе думаю... Ты очень талантлива и, как ни странно, то, что ты поздно попала в кино и в театр, может быть, даже хорошо. Твое лицо не примелькалось в ролях молоденьких девчонок, не надоело еще прежде чем ты стала стоящей актрисой и полноценной женщиной. У тебя есть сын, у тебя мама, которая воспитывает его, ты много пережила, ты пришла не пустая, уже или еще.

— И мне невероятно повезло дебютировать в такой роли, как Марта!

— И это тоже! Словом, твое невезение в ранней молодости обернулось твоей большой удачей, по крайней мере я так это понимаю. Но вот что сразу понял Стас, раньше, чем мы все, это твоя невероятная сексапильность, я смотрела сегодня на тебя... Да, ты превосходно играешь эту роль, буквально купаешься в ней, но у меня было ощущение, что тебя хотят буквально все мужики в зале.

— Да ну... Меня это вовсе не радует. Мне гораздо важнее то, что вам понравилось, как я играю! Сексапильных актрис у нас хватает!

— Дурочка! — улыбнулась Надежда Михайловна. — Это в кино может хватить одного сексапила, а сцена это другое! Если женщина красива, сексапильна и бездарна, на сцене все вылезет, красота просто не будет заметна, сексапил будет казаться пошлостью... Мне в первый момент показалось диким преувеличением сравнение тебя с Бэтт Дэвис, но сегодня я склонна согласиться с Рубаном... Только ты куда красивее, чем старушка Бэтт!

— Тетя Надя, я вас умоляю! Бэтт Дэвис великая актриса, а я начинающая актриска, я мало еще сделала, мне просто сказочно повезло, я встретила вас с Семеном Романычем и, конечно,

Диму! Это мое второе сказочное везение, я столькому у него учусь... Он ведь не только потрясающий актер, он очень умный!

— Стас тоже умный! И встреча со Стасом тоже пошла тебе на пользу! Именно Стас пробудил в тебе женщину, я не права?

— Правы... Конечно, правы...

— Знаешь, в тот вечер, когда Стас сделал тебе предложение, ты пела... Ты ведь пела только для него, и в голосе появился такой призыв... Да, двум столь сексуально привлекательным людям, вероятно, невозможно существовать вместе... Может, все и к лучшему, Варежка?

— Может быть...

— Постой, а что Пирогов?

— Да ничего! Он мне здорово помог, когда у меня дверь сожгли. Сам примчался, убедил меня, что я должна переехать, там в доме охрана, подземный гараж, мне ж эти сволочи еще и колеса прокололи... Помог переехать, нашел домработницу...

— А со Стасом ты больше не встречалась?

— Нет, к чему...

Ей не хотелось говорить о нем.

— А вы так и не зарегистрировали ваш брак?

— Нет. Как-то времени не было, а потом он уехал... И слава богу. Значит, не судьба была...

— А с сестрой ты встречаешься?

— Нет.

— Но она больше не ревнует?

— Понятия не имею. Она, кажется, на лето уехала на Лазурный берег, у них там вилла. Иван Константинович хотел отвезти меня к себе, когда все это случилось, но я отказалась. Зачем мне это?

Квартира привела Надежду Михайловну в восторг.

— Варюшка, как я за тебя рада! Ты правильно сделала, что согласилась принять этот дар. Стас, конечно, не мог, что вполне понятно, но коли вы разбежались... Скажи, Пирогов тебе меха, брильянты и автомобили не дарит?

— Да что вы, с какой это стати?

— Похоже, он приличный человек... Да и Сеня остался очень доволен сотрудничеством с ним. А квартира... ведь твоя мама свою квартиру из-за него продала, да?

— Да.

— Ну что ж... Для звезды экрана очень даже подходящая квартира. Но теперь я понимаю, что ты всерьез порвала со Стасом...

— Тетя Надя, а что за сценарий? — решила Варя перевести разговор. Имя Стаса, произнесенное вслух, причиняло ей всякий раз острую боль.

Детектив Денис Воробьев приступил к своим обязанностям с превеликой охотой! Рано утром он уже стоял неподалеку от элитного дома на Крылатских холмах. Он знал, на какой машине ездит Варвара. Только бы охранников у нее не было, а то профессионал может заметить слежку. Правда, и Денис был профессионалом, но на московских улицах, если ехать на достаточном удалении от объекта, его запросто можно потерять. Поставить маячок пока что не удалось. Но вот из ворот выехал зеленый «опель» актрисы. Ни охраны, ни спутника. Одна женщина в машине. И какая женщина!

Вечером отчет о первом дне слежки выглядел так:

8.45 — выехала из дома.

9.30 — приехала на студию, где проходят съемки сериала «Любовь без Веры и Надежды».

Весь день провела на студии. Вышла в 22 часа. Заехала в ресторан, где встретилась с хозяйкой актерского агентства «Символ» Екатериной Вершининой. Провела там два часа и потом поехала домой.

Так продолжалось три дня, а на четвертый...

Денис Воробьев увидел, что Варвара не в себе вылетела из дверей студии, вскочила в машину и дала по газам. Ни хрена себе, что это с ней? Куда она так гонит, ненормальная! Она же разобьется!

Варя и в самом деле гнала как бешеная. Это я, я виновата, это он из-за меня, господи, только бы с ним ничего худшего не случилось, хоть бы мне застать его в живых... Ведь если он меня зовет, значит, ему совсем плохо... а как же они меня нашли? А, там, наверное, его мама, она, может быть, знает... Да, конечно, наверняка сперва сообщили маме... Господи, господи, сделай так, чтобы он выжил... Я все брошу, я буду с ним, я... я люблю его... Не отнимай его у меня, господи!

Ни хрена себе, как она водит машину! Виртуозно! — удивлялся Денис. Никогда не видал, чтобы бабы так ездили! Вот отчаянная, с замиранием сердца думал он. Но куда это она?

В Склиф, что ли? Да, похоже! Варя оставила машину в Грохольском переулке и со всех ног кинулась к входу. Денис тоже бросил машину и побежал за ней. Но входить не стал. Не ее собачье дело, решил он, имея в виду свою клиентку Пирогову. Вряд ли в Склифе можно установить факт прелюбодеяния. Он стоял неподалеку от входа, курил и думал: если там кто-то умер, ей может понадобиться помощь... Прошло минут пятнадцать, и тут он увидел Варю. Она вышла, шатаясь, сделала несколько шагов, потом вдруг опустилась на край тротуара и разрыдалась. Денис тут же подскочил к ней.

— Девушка, нельзя сидеть на асфальте, давайте я вам помогу... Что у вас случилось, кто-то умер, да? Вам нужна помощь? Ну, не плачьте так!

— Сволочи, скоты, сволочи... — бормотала Варя, захлебываясь слезами. — Разве так можно... Сволочи!

— Ну все, хватит! Куда вас проводить?

— Никуда... Спасибо... Простите... Господи, ну за что? Это ж нелюди!

— Ой, что у вас с лицом?

— Это грим потек, неважно... у меня тут машина. Вы не поможете мне дойти? — вся дрожа, спросила Варя. Теплый ласковый голос этого мужика внушал доверие.

— Конечно, провожу, в чем проблема? — Денис взял ее под руку. — Где ваша тачка? А вы в таком состоянии сможете ехать? А то я могу вас отвезти. Да что ж вы так убиваетесь? У вас кто-то умер?

— Меня разыграли...

— Как это?

— Не хочу говорить... Вон моя машина, зеленый «опель»...

— Блин горелый! — вырвалось у Дениса. Все четыре колеса были спущены.

— Вас не только разыграли...

— Опять... — простонала Варя и разревелась еще пуще.

Денис все понял. Люди, которые сожгли у нее дверь, не останавливаются на достигнутом. Завидуют, скоты!

— Девушка, это, в конце концов, чепуха. Колеса поменяют, надо только вызвать техпомощь. Идемте ко мне в машину. И вот что... Я сейчас позвоню своему другу, он приедет и все сделает, техпомощь — это долгая канитель. — Он достал телефон. — Вениамин! Мухой на Грохольский и позвони Витьку, пусть подъедет тоже. Нет. Это срочно. Найдешь меня в «Мадам Галифе», там открыто до пяти утра! Ну вот, думаю, через два часа самое большее ваша машина будет на ходу!

— Спасибо, я не знаю... если бы не вы...

— Вот, тут салфетки, вытирайте лицо и пойдем тут рядышком, в «Мадам Галифе». Там и умоетесь. Вам надо кофе выпить, съесть что-то... И расскажете, что с вами случилось. А мой помощник сейчас подъедет, дадите ему ключи, он все сделает и потом поедет за нами. Я вас за руль сегодня не пущу, вам необходимо выпить.

— Боже мой, спасибо, даже и не знаю, как вас благодарить...

Так может начаться любовь, подумал Денис.

Через двадцать минут они уже сидели за столиком.

— Спасибо вам, ох, я даже не спросила, как вас зовут...

— Денис. Денис Воробьев. Я частный детектив.

— Частный детектив?

— Да, вот моя визитка. А вы?

— А я...

— Одно я понял, вы артистка?

— Артистка, блин, — горько усмехнулась Варя. — Меня зовут Варвара.

— Очень приятно. Так что с вами случилось, Варвара? И кто это так вас разыгрывает?

— Если бы я знала... Это уже не первый раз...

— Постойте, вы ведь Варвара Лакшина? Это у вас сожгли дверь, испортили вещи? Какое-то время назад это было в Интернете.

— Вы запомнили? Ну надо же... А что вы делали в Склифе?

— Привез соседского мальчишку, который ногу сломал. Ну, Варвара или можно просто Варя?

— Можно.

— Выпейте коньку и расскажите...

— Шеф! — возник рядом Вениамин. — Я уже видал зеленый «опелек» со спущенными колесами.

— Вот, Варя, познакомьтесь, это мой напарник.

Вениамин за спиной у Вари покрутил пальцем у виска. Совсем, что ли, шеф рехнулся? Мало того, что сам засветился, так еще и меня засветил.

Но детектив Воробьев пребывал в такой эйфории, что даже и не подумал ни о чем.

Вениамин ретировался.

— Ну, Варя, так что?

— Мне позвонили на студию и сказали, что один человек... что он... попал в Склиф с белой горячкой...

— Блин горелый!

И этот человек наверняка Стас, сразу смекнул детектив.

— И положение очень тяжелое, он меня зовет... Ну я и помчалась... А мне говорят, что ничего подобного, такой не поступал... Я долго не верила, думала, что его... что он... Одним словом, это очень известный человек, я думала, они просто скрывают... тогда я набрала его номер, и он сразу откликнулся... и голос нормальный...

— Вы с ним поговорили? Ведь если это известный человек, завтра вся эта дрянь может попасть в газеты...

— Нет... Мы с ним уже расстались... У меня другой телефон, я не хочу, чтобы он знал...

— Но вы его любите, если так убивались...

— Это неважно... Мы расстались, и я не хочу, чтобы он знал...

— А он вас любит?

— Не знаю, да разве в этом дело?

— Простите, Варвара, это профессиональная болезнь — задавать бестактные вопросы, — подлил ей еще коньку Денис. Она залпом выпила.

— Спрашивайте, мне уже все равно!

— Почему вы расстались? Он, вероятно, много пил?

— С чего вы взяли?

— Ну, про трезвенника вряд ли придумали бы историю с белочкой, скорее бы уж инфаркт... Так что я думаю, эта акция была направлена не столько против вас, сколько против этого человека... И убежден — утром в этих сраных листках напишут, что такой-то попал в больницу с белой горячкой. А колеса вам прокололи, как говорится, до кучи.

— Они же тут явно меня поджидали!

— Это сомнений не вызывает. Кстати, вы давно расстались?

— Порядочно... Уже больше полугода...

— Странно...

— А что тут странного?

— Ну как, эта публика наверняка в курсе... зачем они вас-то сюда приплели? Запустили бы утку, что он в белой горячке... и пойди потом разберись, откуда что... Видать, хотят обвинить вас в распространении этой истории. Они вам на мобильный позвонили?

— Нет. Позвонили в съемочную группу. Мне кто-то передал...

— Что и требовалось доказать! Наверняка вся группа уже в курсе и, сами понимаете, информация уже запущена. А я вот сейчас гляну в Интернет. — Он достал мобильник, понажимал кнопочки. — Ну, я как в воду глядел! Так вот кто этот человек! Пожалуйста: «Стас Симбирцев доставлен в институт имени Склифосовского. Диагноз: делириум тременс». Обалдеть! А я ведь знаю Стаса, мы в одном классе учились! Завтра, конечно, будет опровержение. Варя, вы опять плачете?

— Бедный, за что они его так мучают? Он такой ранимый... О нем столько слухов распускают... Знаете, когда мы разошлись...

Денис затаил дыхание.

— Меня все спрашивали: он тебя бил? И как людям такое в голову приходит? Почему?

— А он вас не бил?

— Никогда, даже пальцем не тронул...

Вот это женщина! — ахнул про себя Денис. Если б Стас в здравом уме и твердой памяти сам не рассказал мне, как ее отметелил... Как же она его любит! Я преклоняюсь перед ней!

Разумеется, утром в желтых листках появились сообщения о том, что Стас Симбирцев доставлен в Институт имени Склифосовского с белой горячкой, что его бывшая пассия Варвара Лакшина в разгар съемок в гриме и костюме помчалась в Склиф. К сообщениям прилагались фотографии Вари в слезах и с растекшимся гримом. И конечно же, масса комментариев: «Видимо, Варвара считает себя виноватой в очередном запое знаменитого артиста», «Как нам стало известно из достоверных источников, столь быстрый и беспрецедентный успех Варвары стал камнем преткновения в отношениях двух влюбленных». И все в таком роде.

Варя не заснула ни на секунду. Ее колотил озноб. Неужто заболела? Но заболела, не заболела, а вставать все равно надо, съемки, репетиция у Рубана... Раздался звонок с поста охраны.

— Варвара Леонидовна, к вам госпожа Вершинина.

— Да-да, пропустите!

— Катька, как хорошо, что ты пришла!

— Варь, на кого ты похожа? Что это за скотство? — чуть не плакала Катя, вовсе не отличающаяся сентиментальностью. — Но вообще-то ты тоже хороша! Сразу поверила!

— Кать, ну как мне могло в голову прийти, что это розыгрыш?

— Если б голова была на плечах, могло бы...

— Как?

— Ты не понимаешь, что из больницы никто не стал бы искать тебя на съемках, делать им больше нечего. Это во-первых! Во-вторых, никто не стал бы называть диагноз! Даже если предположить, что Стас и вправду загремел в больницу и умолил бы какую-нибудь сердобольную сестричку разыскать тебя... Да все равно ерунда! Если у него белая горячка, то он не смог бы дать телефон, что-то объяснять, ну в крайнем случае вопил бы: дайте мне Варежку! И что?

— Понимаешь, я решила, что это его мама... Что это она сказала, где меня искать...

— А она почем знает? Чушь!

— Выходит, я кругом дура?

— Выходит. Кругом дура. Влюбленная дура. А они сволочи! Своими бы руками задушила, если б знала кого.

— А я, может, и узнаю...

— Это каким образом?

Варя рассказала о знакомстве с детективом Денисом Воробьевым.

— Ну надо же, какие у нас нынче галантные детективы! Он небось с ходу в тебя влюбился...

— Да ну, видела бы ты меня!

— А я именно что видела! Во всех газетах вот такая красота! — И Катя швырнула на стол газету с Варей на первой полосе. Лохматая, с черными потеками грима на щеках...

— Кошмар какой! — простонала Варя.

— Ничего, зато роскошный и совершенно бесплатный пиар! Ну так что с этим детективом? Ты думаешь его нанять?

— Да! Мне надоело!

— Ну, а если допустить, что он найдет скота, что ты с этим дальше-то делать будешь?

— В суд подам!

— А что ты ему или ей предъявишь? Доказать, что разыграл тебя именно тот человек, нельзя будет. И поймать его можно только, застав на месте преступления. Так что шансы невелики у твоего детектива. Только зря деньги потратишь. Поэтому прими совет: забей на эту историю!

— Один раз я уже забила... И что? Все повторяется... Там пострадали только вещи, в конце концов... Если б ты знала, что я вчера пережила, прежде чем поняла, что меня просто разыграли... Мне было так страшно! Я думала — только бы доехать, только бы застать его в живых... Ужас... Нет, пусть не в суд... Но ославить... Это ведь кто-то из артистов старается... Кто-то дохнет от зависти... Узнаю, со свету сживу... — задохнулась вдруг Варя. — А Стасу каково? Ему еще в сто раз хуже! О нем и так черт-те что плетут. Все, как сговорились, думают, что я ушла от него, потому что он меня бил!

— А разве не бил?

— Кать! И ты туда же!

— Да нет, просто все говорят...

— Господи, бедный Стас!

— Он тебе не звонил еще по этому поводу?

— Может, и звонил. У него нет моего нового телефона.

— Ну, не так уж трудно его узнать!

— Как?

— Да хотя бы мне позвонить.

— И ты бы дала?

— Конечно!

— Катя, не вздумай!

— Варь, я тебя умоляю! Подумаешь, великая тайна! Шилевичам позвонит или Димке.

— Димка не скажет.

— У вас с ним что-то есть?

— С кем?

— С Димкой?

— Да что за бред!

— А мне говорили...

— Что тебе говорили? Что я к нему в больницу ездила? Так мы друзья, я Димку, если хочешь знать, просто обожаю! Но при чем тут...

— Да успокойся, не ори!

— Извини, Кать... И спасибо, что пришла... мне так хреново одной было...

— Кофе дашь? Тебе к какому часу?

— Сташек, мальчик мой, ты должен подать в суд! — кипятилась Марина Георгиевна.

— На кого, мама?

— На эти газеты...

— Ох, мама, не тронь говно... Через день найдется новая сенсация... Да я уж привык... Пусть пишут, что хотят! Варежку только жалко... Испугалась, бедная...

— Сташек, она тебя любит.

— Да кто там разберет... Любила бы, не приняла бы подарок от этого гнусного Пирогова...

Знает же, что я был категорически против... А она согласилась... чем-то он сумел ее пронять... И, видно, он ей дороже меня... Ладно, мам, не будем о ней. Это пройденный этап!

— Сташек, но ты ж ее любишь!

— Мама, ты хочешь, чтобы я съехал?

— Сташек, зачем ты так? — со слезами в голосе проговорила Марина Георгиевна. С тех пор как отец ушел от нее, она стала слезливой, что Стаса до крайности раздражало, и он старался пореже бывать дома.

Из интервью

Корр.: Скажите, Стас, вы намерены предпринять какие-то шаги в связи с этой историей?

С.С.: Я бы с наслаждением набил морду тем, кто это сделал, но у меня, увы, нет времени заниматься поисками этих подонков.

Корр.: А в суд на газету вы подавать не будете?

С.С.: На какую именно? Эту пакость напечатало огромное количество газет.

Корр.: Как вы полагаете, этот жестокий розыгрыш...

С.С.: Теперь это так называется?

Корр.: И все же, этот жестокий розыгрыш был направлен против вас или против госпожи Лакшиной?

С.С.: Думаю, против нас обоих. Лакшину напугали, помотали ей нервы, а меня в очередной раз облили грязью. Выводов я делать не намерен. Я просто хочу поскорее забыть эту мерзость. Я согласился на интервью только с одной целью – пусть люди видят, что я не валяюсь в канаве с белой горячкой, а в здравом уме и твердой памяти разговариваю с вами. И пусть задумаются в следующий раз, когда прочтут о ком-то еще что-то подобное – а не утка ли это? Впрочем, вряд ли моя цель будет достигнута... Людям очень нравится читать гадости об известных личностях, так что считайте это интервью гласом вопиющего в пустыне.

Корр.: Стас, вы говорили после этой истории с Варварой?

С.С.: Нет.

Корр.: Почему?

С.С.: Извините, но это наши личные дела. А личные дела я никогда не обсуждаю с журналистами. Всего наилучшего!

Корр.: Извините, Стас, но почему бы вам не обратиться в милицию?

С.С.: С чем?

Корр.: Ну, вы же такой знаменитый и любимый народом артист, вас оклеветали... Они могут найти тех, кто это сделал.

С.С.: Чем меньше шума, тем лучше. Я уже сказал, что хочу поскорее забыть об этом. Прошу прощения, но временной лимит вы уже исчерпали. Всего наилучшего!

— Миленький, я бы с дорогой душой, но не могу! — жалобно причитала проводница. — Ну никак! Продано же все! Куда я пассажира дену, когда придет? Тоже ведь человек уважаемый, наверное, не рвань какая-нибудь, а я ему что? Извольте выкатываться, а у него билет? Тогда как? Надо было тебе за два билета сразу заплатить, вот и ехал бы себе спокойно.

— Ладно, — махнул рукой Стас. Что я в самом-то деле, совсем в мизантропа превратился? А может, попадется еще какой-нибудь тихий интеллигент, который меня в лицо не знает и тоже с радостью завалится спать? Как я устал... Как мне надоела эта жизнь... Он закрыл глаза, и усталость сразу взяла свое. Он задремал. Через несколько минут вагон дернулся.

Стас открыл глаза. Я спал? О, неужели так повезло и никого в купе не будет? Но тут кто-то рванул дверь.

— Стас?

В дверях стояла Варежка! Она запыхалась, была бледной и замученной.

— Ты? Варежка, это судьба!

Он выхватил у нее сумку.

— Садись, чуть не опоздала!

— Девушка, поменяться не желаете, чтобы с женщиной ехать? — спросила проводница.

— Нет, — ответил за Варю Стас, — девушка не желает меняться. И вообще, это моя жена.

У проводницы отвисла челюсть. Ничего себе, муж не знает, что жена с ним едет? Хотя у этих артистов ничего не разберешь. Сегодня жена, завтра не жена...

— Тогда билетики пожалуйста!

Варя совершенно растерялась. Она была так измучена, что сил возражать не было. Да и рада она была его видеть.

— Ну привет! — улыбнулась она. — Давно не виделись...

Она была вся в черном. На бледном лице выделялись ярко-красные губы, отчего глаза казались пронзительно зелеными.

— Ты что, в трауре? Ах да, понятно, ты была на похоронах Толль?

— Конечно. А заодно и на похоронах нашего спектакля. Филипп без нее не хочет... А я даже рада, мне без Димы тяжело с ним... А как ты?

— Жив, как видишь.

Он полез в свою сумку, достал пачку бумажных носовых платков. И вдруг молниеносным движением стер с ее губ красную помаду. Она даже не успела отшатнуться.

— С ума сошел?

— Не могу смотреть на эту женщину-вамп. Это не твое.

Она горько усмехнулась.

— Ты не меняешься... Как поживает Марина Георгиевна?

— Спасибо, ничего. Только глаза все время на мокром месте.

— А знаешь, они с моей мамой созваниваются. Подружились...

— Варежка, ты не голодная?

— Нет, я с поминок, там кормили... Кстати, сестра Марии Францевны сунула мне в сумку пакет с пирожками.

— Давай сюда!

Варя протянула ему пакет. Он вскочил и вышел в коридор. Вскоре вернулся.

— Куда ты бегал?

— Выбросил пирожки.

— Почему?

— Ты что, не знаешь? Нельзя с поминок ничего брать. Плохая примета!

— Господи! Ну отдал бы проводнице, что ли...

— Нельзя, говорю же, очень плохая примета.

Он сидел напротив нее и молчал. Только пожирал глазами.

— А что это за сережки на тебе? Изумруды?

— Хризопразы. Дима подарил.

— По какому случаю?

— По случаю того, что они мне к лицу.

— А твой олигарх не возражает? Он небось считает, что ты достойна самых лучших изумрудов...

— Стас, ради бога, не начинай! Я так устала! У меня просто нет сил убеждать тебя... Да и бесполезно... Может, ты выйдешь на пять минут, я переоденусь.

— Ты меня стесняешься? С каких это пор? Или Пирогов не велит?

— За что ты так мучаешь меня? — по щекам у нее потекли слезы.

– Варежка, родная, прости, я не знаю, у меня как заноза в сердце с этим проклятым Пироговым...

— Стас, ну поверь ты, нет у меня с ним ничего и никогда не было! И люблю я только тебя... Но мы не можем быть вместе, не получается у нас... Так давай хоть друзьями останемся...

Он вдруг взял в ладони ее заплаканное лицо. Заглянул в глаза.

— Я не могу дружить с женщиной, которую все время хочу, которая нужна мне каждую минуту моей жизни, не могу... И которая тоже меня хочет... Я знаю, я чувствую... Сама же говоришь, что любишь... Прости меня, Варежка, любимая, меня просто сглодало чувство вины... Ну давай попробуем еще раз, умоляю тебя! Видишь, судьба нас столкнула опять, ничего просто так не бывает... Она дает нам еще шанс...

Его голос, его запах, его руки...

– Стас, любимый...

Он сжал ее в объятиях, а она вдруг охнула, глаза закатились, и тело обмякло в его руках.

– Родная, что? Тебе плохо?

Она была бледной как полотно, губы посинели...

— Мне надо лечь... — едва слышно прошептала она, — у меня так бывает...

Он сразу вспомнил их первый вечер в Амстердаме. Он так мечтал о романтическом ужине в любимом городе, а она от усталости почти потеряла сознание. Но утром, выспавшись, была уже как огурчик.

— Сейчас, сейчас, я помогу.

Ее не слушались руки, он помог ей раздеться, уложил, накрыл простыней. Она уронила голову на подушку и сразу уснула.

А он не мог спать. Сидел и смотрел на нее. Никогда ни к одной женщине он не испытывал такой нежности. И ни одна женщина не волновала его так, как эта. И ревность прежде была ему незнакома. А сейчас... взгляд его упал на зеленую сережку, подарок Димы. А с какой стати Дима дарит ей сережки? Он любит ее? А разве можно ее не любить? И Димка такой невероятный красавец! А как он танцует! Неужто она не влюбилась в него? Они вместе гастролируют с этим спектаклем... и дружат. Ну, может, там любви и нет... Но есть ведь такая штука, как дружеский секс... Вот, вероятно, после такого дружеского секса в каком-нибудь провинциальном городе он и подарил ей сережки... Эта мысль была так непереносима, что он застонал. В этот момент ожил Варежкин телефон. Стас схватил его, чтобы сбросить звонок и выключить к чертям. На дисплее высветилось: «Дима». Так, все ясно. С какой это стати он звонит ей ночью, если они не любовники? Если позвонит еще раз, я отвечу ему! Пусть знает, что Варежка со мной! Пусть сходит с ума от ревности, не все же мне мучиться! Он держал в руках ее телефон. Соблазн был велик. Он решил просмотреть звонки. Но входящие и исходящие номера были вычищены. Только два каких-то номера без имен в принятых звонках. И один, Димкин, в непринятых. Раз вычищает телефон, значит, что-то от кого-то скрывает! Он открыл записную книжку. Так, телефон Пирогова имеется! Так и написано «Пирогов», не Марьяна, а Пирогов... И живет она в подаренной им квартире... Ну и обслуживает его там же, а Димка — это, как говорится, для красоты! Он отшвырнул телефон. Телефон тихо запищал. Эсэмэска. Он не удержался и открыл. Опять Димка! «Я тебя встречу на вокзале! Есть предложение, от которого ты не сможешь отказаться!!! Целую».

От какого это предложения она не сможет отказаться? Наверняка от предложения руки и сердца! — вскипел Стас.

Варя застонала во сне и сбросила простыню. Господи, до чего же она хороша! Этот изгиб шеи! Как он любил целовать ее в эту ямку над правой ключицей. Но она же сегодня, здесь, сказала, что любит меня, что никого у нее не было... А я не верю! Больше не верю! Она до того соблазнительна... Я сам сколько раз слышал, как мужики о ней говорили... Он прикрыл ее простыней. От греха... Но она такая хрупкая, такая худенькая... Когда мы встретились, она такой худенькой не была. Выматывается, видно... Но она же сама этого хочет. Если бы она тогда послушалась меня... не стала бы сниматься в том проклятом фильме, я бы не уехал в Африку... Я не слетел бы с катушек от ревности, не избил бы ее... И мы были бы вместе, и я засыпал бы и просыпался рядом с ней. Какое сумасшедшее счастье я ощущал, просыпаясь рядом с ней... как она реагировала на каждое прикосновение... А как она съездила мне по физиономии, когда увидела тот засос... Значит, приревновала! И что я сделал? Задохнулся от ревности к Пирогову, идиот! Но ведь она живет в его квартире! И это перевешивает все слова и проявления любви! Вот утром скажу ей: хочешь быть со мной, брось эту квартиру и дело с концом! Я куплю ей квартиру не хуже, даже если придется залезть в долги! Я просто вот сейчас разбужу ее, обниму и скажу... И пусть Димка обломается, когда на вокзале увидит, что мы вместе! Он посмотрел на Варю и уже протянул к ней руку, как она вдруг застонала, повернулась на спину и он отчетливо увидел, какая она бледная, какие тени залегли под глазами. У нее совершенно больной вид! Он отдернул руку, а она пробормотала во сне: «Не надо, Толик!» Его как будто ошпарили. Там еще какой-то Толик затесался! Нет, я этого не выдержу! Она не для меня... Слишком хороша, слишком много на нее претендентов! Не могу! Не хочу! Пусть другие мучаются! Он достал телефон и отправил эсэмэску. Варин телефон тихонько запищал.

Варя проснулась, вспомнила все. Стаса не было. Она выглянула в коридор... Никого. И сумки его тоже не видно. Неужто сбежал? Но почему? Ничего не понимаю! Может, пеешел в другое купе, чтобы не тревожить меня? Она быстренько оделась и пошла к проводнице:

– Скажите пожалуйста...

– А он сошел полчаса назад. Странный он у вас... Правда, что ль, муж?

– Бывший!

– А чего разошлись? Пьет он, говорят?

– Нет, не сошлись характерами!

В купе она заметила, что мобильник подмигивает ей голубоватым светом. Эсэмэски. Она открыла. «Прости меня за все, я много думал, пока ты спала, ты права, нам не надо быть вместе». И еще сообщение от Димы. Он меня встретит? Вот и славно. Какое у него предложение? Наверняка что-нибудь хорошее.

Дима испугался, увидев Варю.

– Ты не заболела? Что с тобой?!

– Ничего, оклемаюсь. Просто...

– Послушай, ты прочла мое сообщение?

– Конечно. Что за предложение?

– В нашем театре срочно нужна актриса на роль...

— А я при чем?

— Нужна актриса на роль Элизы Дулитл! Я предложил тебя, и наш главный с восторгом согласился!

— Шутишь?

— Так шутят только кретины! Ты же идеальная Элиза Дулитл!

— А ты?

— А я, естественно, профессор Хиггинс!

— Дим, а меня в твоем театре не сожрут?

— А ты не давайся! Ну и я буду защищать! — ласково улыбнулся он. — Ну как новость?

— Димочка, это, конечно, мечта... А что это будет? Шоу в чистом виде или «Моя прекрасная леди»?

— Как ты изволила выразиться, Бернард Шоу в чистом виде. Главный давно носится с этой идеей...

— Но если петь не надо, то почему я?

— Совсем, что ли, дура? — взорвался Дима.

— Совсем, Димочка, совсем дура... — вдруг разревелась Варя.

— Так, что за дела? Опять, что ли, Стас?

— Да, — шмыгнула носом Варя. — Стас!

— Ну что опять? Опять отметелил?

— Он... сбежал... Из поезда выскочил...

— Вот горе мое! Как, почему, из-за чего? Рассказывай давай!

Варя рассказала.

— Струсил, — безапелляционно заявил Дима. — Ну и ладно. И бог с ним! Все равно у вас ничего не выйдет! И кончай нюниться! Такая роль тебе выпадает, артистка, блин! У тебя сегодня съемки есть?

— Есть.

— А завтра?

— Завтра только до обеда.

— Вот и отлично! Повезу тебя на дачу к главному! Хотя по-хорошему надо бы тебе отдохнуть... К сыну, что ли, съездить.

— Съезжу! Через неделю съемки кончаются. Шилевич еще не скоро снимать начнет, водевиль у Филиппа накрылся медным тазом... Мне сегодня, кстати, приснилось, что Толик Мартефьянов, озверев от космических закидонов Филиппа, кидается на него со шпагой... Я ору: «Не надо, Толик!» — и тут вдруг с колосников начинает литься вода...

— Я же говорю, отдохнуть тебе надо!

— А тебе, что ли, не надо?

— Надо, — вздохнул Дима, — но я как-то не умею. Ладно, куда тебя отвезти?

— Домой.

— А кстати, когда в гости-то позовешь?

— Когда хочешь. Только заранее предупреди, я что-нибудь вкусненькое сготовлю.

— Да вот еще! Поужинаем где-нибудь, а потом к тебе завалимся.

— На чашку кофе? — лукаво усмехнулась Варя.

— Кофе вечером не пью. На чашку чаю с лимоном.

Вениамин влетел в офис с криком:

— Шеф! Ты сидишь? Сидишь. Тогда выпей водички!

— Сдурел, да?

— Это ты сейчас сдуреешь! У меня такая новость! Зашибись!

— Установил факт прелюбодеяния? — упавшим голосом спросил Денис.

— Фига с два! Не знаю, когда у этих артистов время на прелюбодеяние находится! Вкалывают по-черному! Ты в курсе, кем наша Пирогова Лакшиной приходится?

— Похоже, соперницей... — изобразил неведение Денис.

— Фига с два! Сестрой! Такая милая младшая сестренка!

— А ты не брешешь?

— С какого перепугу мне такое брехать? И это еще мало! Она Пирогова когда-то знаешь, у кого увела?

— У старшей сестры?

— Фига с два! У их общей мамочки!

— Блин горелый! Вень, откуда дровишки?

— Из надежного источника!

— А поподробнее?

— Как известно старшему товарищу, я в Москве комнату снимаю.

— Ну и?

— А у моих хозяев родственница есть, из Украины. Так она одно время у Пироговых в кухарках служила. Такого про эту красотулю нарассказывала! Сука та еще! Она с матерью и сестрой отношений не поддерживала, а когда Варвару в кино позвали сниматься, она младшую сестренку нашла, та вроде даже обрадовалась, в гости позвала, а самого Пирогова тогда в Москве не было. Все вроде бы хорошо, а потом эта мелкая сестренке и заявляет — мол, давай я тебя с мужем знакомить не буду, он, видите ли, на всю нашу семью западает...

— Блин горелый! И что?

— Варвара оскорбилась и послала сестренку куда подальше. А когда она с Симбирцевым закрутила, мелкая решила назад отыграть, а не тут-то было! Варвара опять ее послала. Кстати, тетя Липа, эта кухарка ихняя, про самого Пирогова только хорошее говорит. И он подарил Варваре квартиру, ту, где она сейчас живет.

— Это я знаю.

— Так скажи мне, шеф, какого черта эта гадючка слежку за сестрой устроила? Чего хочет?

— Компру нарыть, чтоб потом Варвару шантажировать.

— Чепуха! Варвара свободная женщина, даже если будет давать всем и каждому, это ее глубоко личное дело!

— Тогда зачем?

— Сам не сечешь? Она хочет узнать достоверно, с фотографиями, спит ее благоверный с Варварой или же нет. За ним слежку пускать опасно, у него такие псы работают, мигом срисуют любого профи, а за несчастной замотанной артисткой — милое дело! И все же, допустим даже, он, Пирогов то есть, с Варварой переспит, мы этот факт установим...

— Как ты любишь выражаться — фига с два!

— Не понял?

— Да у них вообще никаких контактов за это время не было! Даже ни разу не пересеклись!

— Но ведь могут пересечься, теоретически хотя бы... И что эта гадючка будет с этим фактом делать?

— Знаешь, это уже не моя забота! Скорее всего, будет что-то с мужа требовать, мы ж не знаем, какой у них брачный контракт. А вообще меня от этого тошнит! Кабы не потратились, вернул бы ей бабки, и пусть гуляет!

— Так ведь потратились же!

— То-то и оно! А мне ей практически нечего предъявить. Ну не было ни одного факта...

— Слушай, а Бурмистров?

— Нет, брат Веня, нету у них ничего...

— Да если б и было, вряд ли эту гадючку Пирогову такой вариант устроил бы.

Варя летела домой. Она так смертельно соскучилась по сыну, что едва дождалась возможности уехать. Но времени у нее было катастрофически мало. Всего неделя. Ее взяли в театр на роль Элизы Дулитл, пока на договоре, но главный режиссер, знаменитый Михаил Маковский, сказал:

— Варвара Леонидовна (он всех артистов звал по имени-отчеству), я очень советую вам поступить в нормальный репертуарный театр. Вы созданы для театра! Я все понимаю, нужны деньги, а театр не то место, где их можно много заработать, однако пример Дмитрия Александровича позволяет сделать вывод — совмещение у нас вполне возможно! Если по зрелом размышлении вы решитесь принять мое предложение, то в следующем сезоне мы бы поставили с вами «Кошку на раскаленной крыше»! Надеюсь, вы знаете эту вещь?

— Конечно! — задохнулась Варя. — Но, Михаил Федорович, я боюсь загадывать...

— А я вот не боюсь! Я, дорогая моя, видел вас в «Песнях шмеля» в самом начале и вот совсем недавно. Вы сделали гигантский скачок! Если в начале это было очень симпатично и не более, то сейчас я сразу увидел в вас Мэгги! Вам непременно надо играть в театре! И кстати, ваш дуэт с Дмитрием Александровичем — это тоже особая тема. Впрочем, не в моих привычках кого-либо уговаривать. Но «Пигмалиона» мы застолбили! Кстати, мы намерены открыть сезон именно «Пигмалионом»! Езжайте отдыхать, наберитесь сил и учите роль!

И она учила! Господи, да мне и во сне не могло присниться — Элиза Дулитл, Мэгги! А личная жизнь... Значит, не судьба! Да нет, как я могу роптать на судьбу! Я все-таки стала актрисой! И не самой плохой, в профессии все у меня складывается лучше некуда, кто-то от зависти просто дохнет... И хватит с меня! Был еще такой подарок — полгода счастья со Стасом. И хватит!

— Господи, Варюшка, на кого ты похожа! — воскликнула мать, увидев ее в аэропорту.

— А где Никита? — испугалась Варя.

— Мамочка! Мамочка приехала! — раздался вопль.

— Ох, как ты вырос! Два месяца тебя не видела, а вымахал! Совсем большой стал, маленький мой! Как я соскучилась!

— А я как соскучился! Мам, знаешь, я из всего вырос! — с гордостью заявил сын.

— Не беда, купим все новое! Вот прямо завтра и поедем!

— Варь, ну что тут миловаться, поехали домой! — поторопила Анна Никитична. — Отпусти маму, Ник, она уж, по-моему, еле на ногах держится! Ну, Варюшка, сама за руль сядешь?

— Нет, мамочка, лучше ты, я плохо соображаю, не спала ни минуты, такой ранний рейс...

— Мам, чур ты со мной сзади сядешь!

— Конечно!

— Мамулечка, знаешь, как мне все завидовали, когда я про Кинотавр рассказывал, только Диди Ридер сказал, что этот ваш фестиваль никто здесь не знает! А я...

— Никита, что за чепуха! — прервала внука Анна Никитична.

— Ничего не чепуха, а я ему сказал, что моя мама скоро вообще Оскара получит!

— Ну это вряд ли, — рассмеялась Варя. — Просто твой Диди завидует тебе, ему-то вряд ли светит пройти по красной дорожке даже самого захудалого фестиваля!

— Варь, ты часом не рехнулась? Что ты несешь?

— Ничего мама не несет! Она права! И вообще, бабушка, не мешай мне гордиться моей мамой!

— Да, Анна Никитична! Не мешайте внуку гордиться мамой! — смеялась Варя. Сейчас она чувствовала себя счастливой!

Вечером, когда Никита наконец заснул, Анна Никитична спросила:

— Ну, Варюшка, ты довольна жизнью?

— Мамочка, это сложно... Но я все-таки счастлива! Знаешь, мне на днях предложили сыграть Элизу Дулитл в театре!

— Да ты что? Опять у Рубана?

— Нет, у Маковского! И он зовет меня в труппу, обещает в следующем сезоне поставить на меня «Кошку на раскаленной крыше»! Это все как во сне, мамочка! И Шилевич скоро начнет снимать новый фильм...

— Да, кто бы мог подумать... Ну, а что с личной жизнью?

— Ничего, мамочка. Либо одно, либо другое...

— А Стас?

— Что Стас?

— Ты с ним видишься?

— Если только случайно...

— Жаль. Он мне очень нравился.

— Мне он и сейчас нравится, — грустно проговорила Варя. — Но у нас ничего не может получиться.

— А Бурмистров?

— Дима мой лучший друг... Кстати, он будет играть Хиггинса!

— Он тоже относится к тебе только как к подруге?

— Конечно! — Варе не хотелось рассказывать матери, что Дима уже давно относится к ней не только как к подруге.

— И что, ты даже не спишь ни с кем?

— Нет.

— Варь, скажи мне...

— Что, мамочка?

— А Пирогов... Он как-то проявляется?

— Мам, ты о чем?

— Он за тобой не ухаживает?

— Даже и не думает! Он очень мне помог, когда мне сожгли дверь! Причем по собственной инициативе! Узнал из Интернета, поднял на ноги всю Москву, отогнал на сервис машину, снял мне шикарный номер и буквально заставил меня переехать!

— Куда?

— В ту квартиру, которую он купил нам со Стасом.

— И ты согласилась? Переехала?

— Да! — решилась наконец Варя. — Там дом с охраной, подземный гараж, я там чувствую себя в безопасности. Он еще нашел мне домработницу, чудную тетку, она держит дом в порядке и очень вкусно готовит. Я теперь...

— Но Варюшка...

— Мама, он говорит, что чувствует себя виноватым и эта квартира — возмещение ущерба.

— И он к тебе не приставал?

— Да я его вообще не видела с тех пор, как переехала.

— Я всегда знала, что он порядочный человек. А твоя сестра... Но это все дела давно минувших дней. И я рада, что ты живешь в нормальных условиях. Но, как я понимаю, ты окончательно порвала со Стасом, раз согласилась перебраться туда? Мне жаль. Мы подружились с Мариной и вообще, я его полюбила. Он человек неординарный... Умный, добрый...

— Все так, но невыносимый. Знаешь, мы тут недавно случайно ехали в одном купе...

Варя рассказала матери, как Стас сбежал от нее.

— Бедолага, — покачала головой Анна Никитична, — мне его жалко.

— Мамочка, а может, ты все же приедешь на премьеру «Пигмалиона»? Неужели тебе не интересно посмотреть меня на сцене?

Анна Никитична поняла, что Варя не хочет говорить про Стаса.

— Интересно, еще как интересно! Но я умерла бы со страху! Знаешь, как я тряслась, когда смотрела «Марту»!

— Мамочка, ничего, лиха беда начало! И потом мне обидно, что моя любимая мамочка не видела меня на сцене. «Песни шмеля» такой спектакль, я его обожаю, и Маковский сказал, что я в нем неподражаема...

— Варька, не хвастайся! — улыбнулась Анна Никитична. — Надеюсь, ты не приняла всерьез эту чепуху насчет Одри Хепберн и Бэтт Дэвис? Он ненормальный, этот твой Рубан!

— Мам, ну как я могу принимать это всерьез? Просто мне приятно и все... А вообще он зря это сказал! Такая волна зависти поднялась...

— Ничего, Варька, завидуют, и слава богу, хуже было бы, если б жалели!

Стас начал сниматься в новом сериале. Он долго отказывался, но режиссер уговорил его.

— Пойми, чудак, это спокойная хорошая роль, не надо ни прыгать, ни кувыркаться — словом, роль нетравмоопасная. Передохни, а то спалишь себя раньше времени. И такая чудная девочка в главной роли, прелесть просто! Тебе понравится, я убежден.

— Девочки меня меньше всего интересуют!

— Я ж тебе в постель ее не подкладываю, но работать с ней одно удовольствие. Талантливая, хорошенькая, все хватает налету, я уже ее снимал в небольшой роли. Серьезная может получиться актриса.

— Я подумаю, — сказал Стас.

— Только до завтра можешь думать. Дурак будешь, если откажешься. И меня подведешь.

— Артистов, что ли, мало?

— Таких, как ты, раз-два и обчелся. Твое имя — гарантия успеха. И, кстати, гонорар неслабый.

— А по-моему, слабоват.

— Да ты что? — Режиссер назвал цифру, вдвое превышающую первоначальное предложение. — Тебе этого мало?

Стас громко расхохотался.

— Ты хитер! Рассчитывал, что я, может, соглашусь на первое предложение?

— Рассчитывал, конечно, тем более, я знаю твою обычную ставку. Но продюсер уперся: только Симбирцев и точка. Вот и сделал такое щедрое предложение.

— Черт с тобой, и дело не только в деньгах, просто надо немного дать себе физическую передышку. А то уже нога болит, рука отваливается, а тут и вправду даже ни одной драки.

— Ну, одна все-таки есть, но ерундовая!

— Ладно, уговорил.

И он начал сниматься. Снимали, правда, по двенадцать-четырнадцать часов, но это обычная практика, к тому же других съемок у него сейчас не было, а рутинная, изо дня в день, хоть физически и несложная работа достаточно выматывала, чтобы не думать о Варежке. Девочка, Даша Деникина, и впрямь оказалась способной и милой. Стас играл хирурга с трудным характером, высочайшего профессионала, которому завидуют коллеги, такого одинокого волка, чье зачерствевшее сердце размягчает любовь молоденькой медсестрички, которую и играла прелестная двадцатилетняя студентка РАТИ. Уже через неделю съемок Даша без памяти влюбилась в Стаса. Хотя он частенько даже кричал на нее, вообще был очень раздражителен. Его выводило из себя любое проявление непрофессионализма. Впрочем, как и его героя. В группе многие его обожали, но кое-кто и терпеть не мог, к примеру, играющий его вечного оппонента и завистника Максим Шевелев.

— Ишь ты, звезда местного разлива, — фыркал он. — Тоже мне... гений! Что он из себя строит? Алкаш несчастный! Только недавно из белой горячки выбрался, а туда же, возмущается!

— Макс, зачем вы так? — вступилась за Стаса слышавшая это Даша. — Это же вранье было, никакой белой горячки...

— Много ты понимаешь! У него папаша крутой журналюга, сумел задурить всем головы... Сам давал за него интервью, пока сыночек анонимно лечился!

У Даши сердце обливалось кровью.

— А ты что, уже влюбилась в него? Это зря, Дашенька. С ним никто не выдерживает! Вон уж как Варька Лакшина в него втрескалась, а тоже сбежала. Он ее колошматил. Так что не советую!

— Максим, с чего вы взяли...

— Я же не слепой!

Пожилая актриса Лидия Борисовна Карпухина, игравшая опытного заслуженного хирурга, наоборот, безмерно восхищалась Стасом.

— Ай, какой артист! Даша, ты погляди, до чего он органичен в любой роли! Я, Дашенька, в своей жизни належалась в больницах, навидалась врачей! Ты обрати внимание, как на нем врачебный халат сидит! Как он идет по коридору с обходом! Как с больными общается! Думаю, благодаря ему наш сериальчик будут смотреть! Я сама всегда смотрю все фильмы с Симбирцевым! И ты не обижайся, когда он на тебя срывается, я тебе скажу, все его замечания по делу, справедливые...

— Что вы, я не обижаюсь, я понимаю...

— Только вот влюбляться в него не стоит... Хотя что я говорю, была б молодая, влюбилась бы до потери сознания.

Стас, конечно, быстро смекнул, что Даша Деникина в него влюбилась. Но она его не волновала совершенно. Однажды, когда их героям надо было поцеловаться, причем режиссер предупредил, что поцелуй должен быть настоящим и довольно долгим, Стас даже испугался. Он ровным счетом ничего не почувствовал, когда прижал к себе и поцеловал эту очаровательную девушку. А она по-настоящему трепетала в его руках.

Даша все поняла и безумно расстроилась.

Вечером она со слезами поделилась своим разочарованием со старшей сестрой. Та выслушала ее и сказала:

— Послушай, он тебе зачем нужен?

— Как зачем? Я люблю его!

— То есть ты хочешь с ним переспать?

— Нет, я хочу быть его женой! Хочу от него ребенка и вообще...

— Вот насчет ребенка я бы поостереглась! Ребенок от алкаша...

— Да какой он алкаш! Это все выдумки!

— Ладно, о ребенке говорить еще рано. А вот роман с ним завести, это интересно. Знаешь, я дам тебе совет.

— Какой? — встрепенулась Даша.

— Постарайся с ним подружиться. Спроси какого-нибудь совета, попроси помощи, словом, приручи. Он человек одинокий, может клюнуть. А параллельно сделай вид, будто закрутила с кем-то другим из группы. Поверь, через две недели он в тебя влюбится.

— Ты что? Так просто?

— Это совсем непросто! Он сейчас чувствует, что ты на него запала, и боится... А если успокоится на этот счет, то его самолюбие самца будет задето, как это ты влюблена в другого?

— Жень, а говорят, у него какая-то безумная любовь была с Лакшиной?

— Была да сплыла!

Варя с Никитой ездили по магазинам. Всю дорогу он болтал без умолку. Они накупили кучу вещей для выросшего буквально за два месяца из всех шмоток мальчика. Ну и очередную компьютерную игру. И новую теннисную ракетку. У Вари уже ум за разум зашел, и она взмолилась:

— Никитка, а давай в кондитерскую заедем, я кофе выпью! А ты — что захочешь!

— Давай! — обрадовался Никита. Бабушка не очень любила ходить с ним в кафе.

Они заехали в уютное летнее заведение, где Варя заказала Никите пирожные, а себе кофе и мороженое. Никита, как ни странно, мороженого не любил.

— Мам, а я читал, что артистки сладкого не едят?

— Почему? Очень даже едят!

— А как же фигура?

— Ну, фигуры разные бывают! Вот у нас была одна артистка, молоденькая, красивая, она все страдала: мне стоит только взглянуть на абрикос, я уже полнею.

— А ты абрикосы лопаешь!

— Вот именно! И потом я сейчас столько работаю, что у меня все калории сгорают! Так что не волнуйся за мою фигуру и дай спокойно съесть мороженое! В Москве у меня на это времени нет!

— Мам, а когда у тебя премьера будет?

— Какая?

— Ну, в театре?

— Пока не знаю, мы ж еще даже не репетировали ни разу.

— А мне можно будет приехать?

— На премьеру? Там видно будет.

— Мама, я ведь уже большой, правда?

— Правда! А что такое?

— Скажи, а ты... несчастная?

— Несчастная? Почему? Я очень даже счастливая! Что за дикий вопрос?

— А помнишь, и ты, и бабушка, и этот твой Симбирцев говорили, что без него ты будешь несчастная?

Варя задумчиво смотрела на сына. Понимала, что должна ответить правду, а правды она и сама не знала.

— Мам, ты почему молчишь? Ты все-таки несчастная, да?

— Нет. Понимаешь, у меня сейчас много работы, эта работа приносит мне счастье, и просто нет времени думать о... Симбирцеве.

— Он оказался плохой?

— Нет, что ты! Он очень, очень хороший, но вместе у нас не получилось... Так бывает, сын.

— И ты теперь больше не будешь замуж выходить?

— Пока не собираюсь.

— А Дмитрий Бурмистров?

— Что Дмитрий Бурмистров?

— Я читал в Интернете, что у вас роман...

— Здрасьте, я ваша тетя! Мало ли какую чепуху пишут в Интернете. Мы с Димой просто друзья и партнеры.

Казалось, Никита ей не поверил.

— А он хороший?

— Хороший.

— Мне он нравится.

— Непременно ему передам.

— А ты меня с ним познакомишь?

— Вот приедешь в Москву, познакомлю.

Никита помолчал.

— Мам, а можно еще спросить...

— Спрашивай!

— Помнишь, в прошлом году Симбирцев говорил, что будет на съемках прыгать с крыши поезда на лошадь?

— Помню.

— Он прыгнул?

— Прыгнул.

— И что?

— Ничего. Прыгнул, и все у него получилось. Только не говори, что он обещал взять тебя на съемки и не взял. Просто мы в тот момент уже разошлись. Понятно?

— Понятно! Он крутой, да?

— Нет, совсем не крутой, только очень хорошо играет крутого, — грустно проговорила Варя. Разве крутой сбежал бы тогда ночью из поезда?

Даша Деникина решила последовать советам старшей сестры, у Женьки опыт, она своего мужа окрутила в два счета, когда сочла, что он ей подходит, хотя Виктор вроде бы и не собирался на ней жениться.

Начала Даша с того, что в перерыве подошла к Стасу со словами:

— Извините, Станислав Ильич, вы не дадите автограф для моего двоюродного брата, он ваш поклонник...

— Сколько ему лет?

— Двенадцать!

— В таком случае дам! — улыбнулся Стас. — Как его звать?

— Глеб!

— А где расписаться-то?

Даша протянула ему небольшой блокнот. Стас написал: «Глеб, кончай дурью маяться и ни в коем случае не ходи в артисты! Стас Симбирцев».

— Спасибо, спасибо вам огромное!

— Не за что! — обаятельно улыбнулся Стас и подумал: «Ты с этого решила начать, девочка? Ну-ну!»

На другой день она сердечно благодарила Стаса от имени Глеба. И все в таком роде. Стасу было смешно и грустно. Он чувствовал себя древним стариком рядом с этой прелестной глупенькой девушкой.

Как-то поздно вечером мать кормила его ужином и вдруг сказала:

— Сташек, сегодня днем был сюжет о ваших съемках, показали эту девочку, Дашу Деникину, она мне очень понравилась. Такая хорошенькая и с таким восторгом о тебе говорила!

— Да? И что она говорила?

— Что ты такой мастер, что с тобой играть для нее огромная честь и что ты ей здорово помогаешь...

— Помогаю? Странно! Обычно я ору на нее...

— Сташек, она же в тебя влюблена!

— Это ее глубоко личное дело.

— Но ты к ней равнодушен?

Стас готов был уже взорваться, но просто не было сил.

— Да, мама, я к ней равнодушен!

— Сташек, а может быть, хватит уже этих страстей, этих безумных женитьб, из этого же ничего не выходит! Может, женишься на хорошей девочке, она молоденькая, родит тебе ребенка, думаю, с удовольствием бросит актерство и станет тебе хорошей женой?

— Мам, ты что, хочешь, чтобы я переехал? Я, кстати, подыскиваю квартиру, чтобы не очень далеко от тебя, но отдельно. Ты, честно говоря, уже достала меня!

— Сташек, маленький мой, я хочу внуков! И тебе пора уже иметь детей! И это даже хорошо, что ты пока не любишь Дашу!

— Мама, чтобы иметь детей, надо еще их сделать! А чтобы сделать детей, напоминаю, надо, как минимум, захотеть переспать с кандидаткой в матери! — уже кричал Стас.

Марина Георгиевна испуганно прикусила язык. Неужто у него какие-то проблемы с потенцией? Бедный мальчик!

— И еще! Нельзя заводить детей, когда твоя душа пуста, как... А! Ты не поймешь! — он резко отодвинул стул. — Я пойду спать! Спасибо за ужин!

Он все еще любит свою Варежку!

Прошло дней десять. Даша ни на йоту не продвинулась в осуществлении своего плана. Стас был с нею убийственно вежлив. И только. Зато Максим Шевелев начал за нею приударять. Вспомнив совет сестры, она поощряла его ухаживания достаточно демонстративно. И однажды Стас не выдержал:

— Послушай, девочка, не вяжись ты с Максом. Он же мразь!

— Почему?

— Да по всему! Нахлебаешься дерьма, зачем тебе это? Или ты его любишь?

— Нет, Станислав Ильич, я люблю вас!

Стас громко расхохотался. Даша вспыхнула.

— Это совсем не смешно! Я, можно сказать, умираю от любви, а вы...

— А я тоже...

— Что? — ахнула Даша.

— Тоже умираю от любви...

— Но не ко мне, да?

— Ладно, извини, я пошутил, и будем считать, что ты тоже пошутила. Знаешь, любовь на съемках — это несерьезно. Кончились съемки, прошла любовь!

— И я что, совсем вам даже не нравлюсь?

— Ну почему же? Нравишься! Ты очень способная, очень хорошенькая и безусловно достойна лучшего.

— Станислав Ильич, пожалуйста. Я мечтаю... иметь от вас ребенка!

— Худшего производителя ты выбрать не могла!

— Но я люблю вас!

— Надо же, какие нынче девушки настырные! Ты зачем в таком случае морочишь голову Шевелеву? Чтобы вызвать мою ревность?

Даша не ответила. Она пристально смотрела на Стаса своими огромными синими глазами.

— Станислав Ильич, ответьте мне на один вопрос, только честно!

— Ну?

— У вас кто-то есть?

Стас помедлил с ответом.

— Нет. Никого.

— Но кто-то ведь нужен... Тогда почему не я?

— О, ты далеко пойдешь!

С этими словами он поднялся и ушел.

Макс поджидал Дашу в машине.

— Садись, подвезу! — пригласил он.

— Спасибо! — согласилась Даша.

— Послушай, Даш, зачем тебе нужен этот старый алкаш? Ты ж ему в дочери годишься! Тебе двадцать, ему почти тридцать восемь... Думаешь, почему он на тебя не реагирует?

— Потому что не любит, наверное...

— Да ерунда! Просто он, скорее всего, уже ни на что не годится...

— В каком смысле? — испугалась Даша.

— В том самом! Любой нормальный здоровый мужик не может спокойно на тебя смотреть, а этот, видать, уже вышел в тираж! Ничего тебе там не светит!

Даша ужасно расстроилась и поделилась своими горестями с сестрой. Женя рассмеялась.

— Да не слушай ты Шевелева, он и вправду мразь. А твои дела вовсе не так плохи! Была б ты Симбирцеву вовсе безразлична, он не стал бы тебя предостерегать насчет Шевелева. Но ты уж слишком прямолинейна!

— Но я же правда его люблю!

— Никуда он от тебя не денется! Если у него и впрямь никого сейчас нет, то, думаю, скоро он тебя в койку затащит. Ты ж ему сама себя предложила! Так зачем искать где-то, если ты тут, рядышком, да еще такая конфетка!

— Думаешь? И мне соглашаться?

— А это уж как ты сочтешь нужным, хотя... Если ты сейчас ему откажешь, он поймет, что ты просто с ним играешь, хочешь на себе женить, и вовсе не факт, что тебе представится другой случай!

— Какая ты циничная, Женька!

— Зато не такая дуреха, как ты!

К концу смены жутко хотелось есть. За весь съемочный день Стас съел только один бутерброд с сыром. Но мысль о том, чтобы ехать домой, была ему глубоко противна. Там мама с сочувствием в глазах, с близкими слезами, начнет его жалеть, кормить, гладить по головке, а норы, куда он хотел бы забиться и где мог бы сам приготовить себе еду, как он любил, больше не было. И еще хотелось выпить. Он в задумчивости подошел к машине.

— До свидания, Станислав Ильич!

— Даша? Послушай, а не хочешь поужинать со мной? Я здорово проголодался!

Девушка просияла.

— Ой, правда? Я с удовольствием!

— Тогда садись!

Неужто Женька права и ему понадобилась женщина, а я тут, рядышком? Ну и пусть! Я готова, я для него на все готова!

— А куда мы поедем? — робко спросила она.

— Еще не думал, но куда-нибудь, где не очень шумно.

— А... хотите, можно поехать ко мне, я живу одна... У меня всегда есть еда... Мама готовит...

— Да нет, не стоит. Я ведь хочу только поужинать.

— Какой вы жестокий!

— Извини, ничего личного. Ладно, поедем в одно новое место. Мой старинный приятель открыл ресторан, давно меня зазывал... Место еще не раскрученное, поехали! Сейчас я ему позвоню! Алло, Серега! Да, я! Вот надумал заехать в твой ресторанчик, там не очень шумно? Нет? Вот и отлично! Столик найдется? Нет, с красивой девушкой! Отлично. Спасибо, старина. Ну вот, все в порядке, Даша, столик нам будет!

— Я думаю, для вас столик нашелся бы в любом ресторане Москвы, и всей России тоже!

Стас промолчал.

Действительно, в ресторане, который оказался не таким уж маленьким, их встретили очень любезно и тут же провели во второй зал, где их ждал столик с небольшим букетом чайных роз в красивой вазе.

— Розы для вашей дамы от Сергея Ивановича! — доложил метрдотель.

Даша зарделась.

— Я супу хочу! — заявил Стас. — О, тут есть грибной суп-пюре. Обожаю! Будешь?

— Суп? В десять вечера? Нет, я буду только салат.

— А! Ну как хочешь! А я буду суп и, пожалуй, тушеную баранину с овощами!

Даша хотела сказать, что баранина тяжелое мясо, но сочла за благо промолчать.

Странно, думал Стас, почему мне совсем не хочется ею командовать? Потому что не люблю? Или я просто выдохся?

Когда ему принесли суп, он поперчил его, взял солонку.

— Станислав Ильич, что вы делаете?

— А что такое?

— Зачем вы солите, вы ведь даже не попробовали? Это так вредно!

— А! — кивнул Стас и попробовал суп. Досолил еще. — Зря не взяла, очень вкусно! — Горячий нежный суп доставил ему огромное удовольствие. — Даш, а ты чего не ешь?

— Не хочется...

— Дело твое, — пожал плечами Стас. Зачем я взял ее с собой? Тоскливая глупая девица... И вдруг у него перехватило дыхание. В ресторан вошла Варежка! В скромном клетчатом платьице, почти без макияжа, усталая и какая-то недовольная. Села за столик и взглянула на часы. Ждет кого-то. Но не похоже, что это свидание! Он ее видел, она его нет. Весь мир в эту минуту перестал для него существовать.

— Станислав Ильич, что с вами?

— А? Что? — словно очнулся он.

— Вам нехорошо? Вы такой бледный!

— Ерунда, просто устал. — Он вытащил из кармана пачку сигарет. Закурил. При этом руки его дрожали.

Даша оглянулась. На кого это он смотрит? Но Варю в таком виде она попросту не узнала.

— Зачем вы курите?

— Извини. Тебе неприятно?

— Да нет, просто это вредно!

— Господи, какие ж вы нынче все тоскливые! Это вредно, это полезно, это правильно, а то неправильно! И это в двадцать лет! — пробормотал Стас.

— Я вас раздражаю, да? — дрожащим голоском спросила Даша.

— Нет, что ты... Извини, я просто устал...

В этот момент к Варе подошла какая-то женщина. Они поцеловались, женщина села за столик.

Стас выдохнул. Он решил во что бы то ни стало спровадить Дашу и дождаться конца встречи. И с преувеличенной любезностью начал общаться с Дашей. Та снова расцвела.

— Ну привет, Варюха!

— Привет, Шурочка! Рада тебя видеть!

— Что-то вид у тебя незвездный! Платьишко какое-то убогое. Это что же, мимикрия?

— Шур, ну что ты говоришь? Просто я со съемок, устала, проголодалась... Ну и, конечно, неохота бросаться в глаза.

Им принесли меню.

— Ну и цены тут! — усмехнулась Шура.

— Ты не смотри на цены, я тебя пригласила.

— Хорошо, не буду смотреть на цены. Варь, куда ты девалась после института? И откуда вдруг возникла? Все, что пишут в газетах, это правда?

— В газетах в основном пишут неправду. Просто меня никуда не брали. И я уехала в Германию. А потом меня нашла жена Шилевича. И закрутилось... Лучше расскажи, что у тебя? Где ты, ты ж была звездой курса!

— Была и сплыла! Никто после института не хотел видеть во мне звезду, а только... Знаешь рифму к слову «звезда»? Один говорит: дай, получишь роль! Дала, а роли нет. И все в таком роде. Наконец, сняли в кино, а фильм куда-то сгинул... Словом, сплошная непруха... Варь, выпьем за встречу!

— Я за рулем!

— Так я и знала! А я выпью, ладно?

— Конечно!

— Понимаешь, я ведь к тебе не просто так заявилась... А на трезвую голову просить тяжело, тем более у чужого человека.

— Шура, я могу чем-то помочь?

— Конечно, можешь! Ты ж теперь на коне!

— Я постараюсь...

— Поговори с Шилевичем и вообще со всеми, с кем сможешь. Пусть меня возьмут на какую-нибудь роль! Скажи им, что я была звездой курса, ну и вообще...

— Конечно, Шурочка, сделаю все, что от меня зависит.

— Знаешь, многие так говорят, а назавтра забывают, как о смерти...

— Я не забуду, сама слишком долго была вне профессии. И уж надежду потеряла, хотя на что я могла надеяться в альпийской глуши? И вдруг... Поэтому я хорошо тебя понимаю.

— Да что ты можешь понимать! У тебя все благополучно было, а мне иной раз хлеба не на что купить! — истерически-пьяным голосом выкрикнула Шура. — У тебя вон, я читала, и сынок есть, а я... одиннадцать абортов сделала!

— О господи! В наше-то время!

— А что наше время? Мужики все сволочи, о бабе вообще не думают...

— Но... женщина может и сама о себе подумать, — осторожно заметила Варя. Ей было жаль Шуру, и в то же время она боялась скандала.

— Права, права! Но я... Ты вот скажи мне, почему это одним все, а другим шиш с маслом? У тебя вон и роль одна лучше другой, и бабок куры не клюют, и мужики самые-самые...

— Нет у меня никаких мужиков, — тихо сказала Варя.

— Как это нет? А Димочка Бурмистров? А Симбирцев? И шмотки у тебя зашибись... Платье от Готье, сумочка от Гуччи... Сама в журнале видала...

— Хочешь, приезжай завтра ко мне в театр, я отдам тебе и это платье от Готье, и сумочку от Гуччи и еще кучу шмоток...

Но Шура не дала Варе даже докончить фразу.

— Обносками хочешь отделаться? — она накалялась пьяной яростью. И вдруг захихикала: — А все-таки Марика, твою первую любовь, я у тебя увела!

— Да бог с ним, мне не жалко, — улыбнулась Варя, радуясь, что Шура сменила тему. — Тем более ты была в сто раз красивее, чем я.

— А вот почему так: я в сто раз красивее, в сто раз талантливее, и парни все мои были, а свезло тебе? И я вот тут перед тобой унижаюсь, чтобы мне какую-никакую ролишку сплюнули? Я знаешь, сколько об этом думала? И надумала!

— Надумала, и хорошо, — примирительно сказала Варя.

— А что я надумала, тебе неинтересно? Ну еще бы, мы такие важные, такие звездные! Так вот: все проще пареной жопы...

— Репы? — улыбнулась Варя.

— Нет, в моем случае — жопы! Потому что я не тем мужикам давала, все больше по саунам, тогда модно было... Я кто? Простая русская баба... А ты, видите ли, фиалка альпийская... С вывертом небось... И Димку ты у меня увела... Я знаешь, как его любила? А он брезговал... Не любит, видите ли, пьяных баб... — Она заплакала, уронив голову на руки. Варя сидела уже ни жива, ни мертва, не зная, как прекратить этот кошмар. И вдруг Шура подняла голову. — Варь, а Варь, дай денег! Я сразу уйду!

— Хорошо, я... — Варя полезла в сумку. — Вот... тут двенадцать тысяч! Тебя устроит? У меня больше нет.

— Двенадцать тыщ? Круто! Давай! И ты когда в театре будешь? За шмотками зайду! Не забудь, что ты обещала! А в таких шмотках я и без твоей помощи пробьюсь! Заметано?

— Конечно. У меня в одиннадцать репетиция. Если опоздаешь, я оставлю у дежурной.

Шура опрокинула в рот недопитую рюмку, икнула и поднялась из-за стола.

— Спасибо, хоть проповедей мне не читала! Пока!

И она, пошатываясь, пошла к выходу.

Между тем Стас, трезво оценив обстановку, вдруг ощутил странный кураж, которого давно не испытывал. План действий созрел мгновенно!

— Дашенька, — заговорщицким тоном прошептал он. — Я смотрю, ты не ешь...

— Я совсем не голодная, Станислав Ильич!

— Видишь, в том зале сидит пара, вон, мужик в коричневом свитере?

— Вижу!

— Понимаешь, это один жутко нудный тип, я от него уже бегаю. Если он меня увидит, все, вцепится как клещ!

— Он кто?

— Да сценарист-графоман, кошмарный тип. Давай я сейчас попрошу официанта выпустить нас через черный выход и отвезу тебя домой. Ты согласна?

— Да, — растерялась Даша.

— Я здорово устал, а вступать в разговоры с этим занудой... Молодой человек, — обратился он к официанту. — У меня к вам несколько необычная просьба.

— Станислав Ильич, я на минутку, — смущенно улыбнулась Даша и направилась в туалет.

А Стас что-то долго втолковывал официанту. Тот согласно и понимающе кивал. Стас Симбирцев был его любимым артистом, к тому же приятелем хозяина.

— Все понял, господин Симбирцев! Сделаю!

— Спасибо, брат! Как тебя звать-то?

— Евгений!

— Спасибо, брат Евгений! — И Стас сунул «брату Евгению» две тысячные купюры.

— Что вы, не надо!

— Надо! Всякий труд должен быть оплачен!

Тут вернулась Даша. Глаза Стаса весело блестели.

— Можем смываться! — шепнул он. Вынув из вазы цветы, подал их Даше. — Пошли!

«Брат Евгений» провел их через подсобные помещения. Знаменитый артист попрощался с ним за руку и подмигнул.

— Вот, слава богу! — Он взял Дашу под руку и почти бегом направился к машине. Он знал, что она живет недалеко. — Садитесь, барышня, мигом домчу!

Варя сидела в некоторой прострации. «Брат Евгений» быстренько убрал со стола все следы Шуры и мягко спросил:

— А почему ж вы ничего не скушали?

— Аппетита нет.

— А давайте я вам принесу десерт, у нас такой потрясный десерт есть.

— Десерт? Из чего?

— В основном из шоколада, это малюсенькие пирожные, но одно горячее, другое из мороженого, третье из шоколадного крема... Очень рекомендую!

— Пожалуй! А кофе без кофеина есть?

— А как же!

— Вот и отлично! Мне сейчас надо чем-то сладким заесть...

Официант понимающе кивнул.

Десерт и впрямь оказался волшебно вкусным! Допив кофе, Варя собралась уже расплатиться, но официант куда-то исчез. Она подозвала другого.

— Пожалуйста, счет дайте!

— Сию минутку! — сказал он и тоже исчез. Народу было мало, и Варя готова была уже возмутиться, но просто не было сил. Вдруг в зале появилась очень полная женщина в поварской курточке и белом колпаке. Она решительно направилась к Варе.

— Госпожа Лакшина, мне сказали, что вам понравился мой десерт?

— О да! Это восторг!

— Мне очень приятно! Вы моя любимая артистка. Я очень люблю театр, а после «Песен шмеля» была просто в отпаде, причем от вас больше, чем от Бурмистрова!

— Спасибо вам.

— Знаете, если вам понадобится какой-нибудь торт для гостей, пирожные, обращайтесь!

— Спасибо большое! Обязательно!

Милая женщина дала Варе свою визитку.

— Спасибо, мне приятно... — Варя взглянула на визитку. — Лидия Анатольевна, пожалуйста, скажите официанту, чтобы принес счет.

— Да-да, обязательно скажу! — и женщина как-то странно подмигнула Варе.

Думать о том, что бы это значило, было лень. Буквально тут же возникла совсем юная девушка, одетая так же, как Лидия Анатольевна, с тарелочкой в руках. На тарелочке стоял совсем маленький горшочек, явно горячий.

— Это вам от заведения! И от мамы Лиды! Попробуйте, жуткая вкуснота!

И девушка исчезла. От горшочка упоительно пахло. Варя ковырнула ложечкой румяную запеченную корочку. Попробовала. Чудо! И вдруг на плечи ей легли чьи-то руки. Она не испугалась. Она узнала бы их из многих тысяч...

— Стас!

— Привет, любимая! Ты что тут одна сидишь? Не прогонишь?

— Нет. Но ты же сам сбежишь!

— Нет, не сбегу! Я так счастлив тебя видеть.

Он был какой-то другой! Глаза сияли, его буквально распирала энергия, таким он был в начале их отношений. Такому она никогда ни в чем не могла отказать.

Он сел напротив, сгреб ее руки в свои.

— Варежка! Как ты живешь?

— Живу! Репетирую Элизу Дулитл в театре у Маковского... Это само по себе счастье...

— Хочешь сказать, что и без меня счастлива?

— Ну и ты сегодня не похож на убитого горем.

— А знаешь почему?

— Нет, откуда же...

— Варежка, я просто вдруг понял, из-за чего у нас вся эта хрень... почему мы так глупо себя ведем, деремся, ругаемся...

— Ну и почему?

— Потому что у нас не... не было романа... Мы сразу бросились жить вместе... А это, наверное, неправильно.

— Может быть, ты и прав... Но что сделано, то сделано!

— Ничего подобного! Я лично намерен закрутить с тобой роман... Ходить на свидания... Целоваться в подъезде... Дарить цветы и конфеты...

— Стас, ты шутишь?

— Я серьезен, как никогда! Я понял — не могу без тебя... совсем... у меня в последнее время было ощущение, что ты вынула из меня душу... Я жил как-то механически, начисто утратил кураж... А какой артист без куража? И вдруг увидел тебя... Наблюдал за тобой, как ты общалась с какой-то шалавой...

— Погоди, ты тут давно?

— Ага! Я пришел сюда с двадцатилетней девчонкой, хорошенькой, как картинка, влюбленной в меня по уши...

— Стас!

— Погоди, дай договорить! Ты все не так поняла. Эта девочка моя партнерша, мне не хотелось ехать домой и очень хотелось есть, вот я и позвал ее. Но она скучная, глупенькая, явно разработавшая план по охмурению артиста Симбирцева, и вдруг увидел тебя и понял...

— Но куда ж ты девочку девал?

— О! Я отвез ее домой, но наказал официанту до моего возвращения не выпускать тебя отсюда! И сработало!

— Стас! — расхохоталась Варя. — Ты невозможный тип!

— Но ты мне не ответила, Варежка! Ты согласна крутить со мной роман?

Он был сейчас совершенно неотразим!

— Ага! — вдруг расхохоталась она. — Согласна!

— Счастье мое, Варежка!

— Только у меня есть одно условие!

— Какое?

— У нас нет прошлого. Нам еще нечего вспоминать! Я сидела в ресторане, а ты ко мне подошел... Наша история началась только сейчас!

— Ты такая умница...

— Постой, это еще не все!

— Слушаю и повинуюсь.

— Ты не будешь ревновать меня к любому столбу, и мы не станем посвящать в наши отношения кого бы то ни было, ни мам, ни друзей...

— Правильно! Они слишком о многом могут напомнить, да?

— Конечно!

— Но позволь... Где же мы будем встречаться? Я сниму квартиру! Вообще-то, я собирался покупать, но это долгая история... На люди показываться со мной ты не хочешь... Кстати, почему?

— Стас! Не начинай!

— Ах да, прости. Но ты намерена долго меня томить?

— Вообще томить не намерена. Сейчас мы с тобой поедем в какую-нибудь гостиницу...

Стас вспыхнул радостью!

— Хочешь меня? — прошептал он, больно сжав ее руки.

— Больше всего на свете!

— Что с тобой? — спросил Дима. — Чего ты так сияешь?

— Просто выспалась.

— С кем? Уж не со Стасом ли? Такое сияние я наблюдал только в связи с ним!

— Нет, Димочка, выспалась одна. Еще с Никитой с утра поговорила!

— Ну-ну, — недоверчиво покачал головой Дима.

— Шеф, звонила эта...

— Кто?

— Пирогова!

— Черт бы ее подрал! Чего хочет?

— Отчета о проделанной работе. Явится через полтора часа.

— Пускай, у нас все готово. Боюсь, дамочка так разочаруется, что может вторую половину и не заплатить.

— Думаешь?

— Думаю. Ну и черт с ней!

— Знаешь, шеф, а я ей даже благодарен...

— За что, хотелось бы знать?

— Я как-то поверил, что бывают порядочные бабы.

— Ни хрена себе! — воскликнул Денис Воробьев. — Ты тоже на нее запал?

— Почему тоже, шеф? — засмеялся Вениамин.

Детектив Воробьев покраснел.

— Ошизеть! — сказал Вениамин. — Загадка сфинкса!

— Заткнись! — буркнул Денис.

Через полтора часа Вениамин возвестил:

— Она на такси приехала! Видать, начиталась за это время детективных романов, — расхохотался Вениамин.

— Добрый день, господа!

— Здравствуйте, мадам!

Марьяна села в кресло, закинула ногу на ногу. Ножки у нее будь здоров, отметил Вениамин.

— Мне хотелось бы поговорить с вами с глазу на глаз, — обратилась она к Денису.

— Это мой помощник, он в курсе дела. Один я не мог бы справиться с задачей.

— А вы с ней справились?

— Мадам, в нашу задачу входила только слежка за госпожой Лакшиной. Мы отслеживали буквально каждый шаг. Даже мотались за ней в Германию, но кроме матери, сына и фрау Гудрун Шварц никаких контактов у госпожи Лакшиной там не было.

— Почему вы не сообщили мне об этой поездке?

— Но вы же сами потребовали, чтобы я прекратил еженедельные доклады и всю информацию оставил до вашего визита.

— Да, верно. Извините. Так что там?

Вениамин вручил Марьяне объемистую папку с ежедневными отчетами и массой фотографий.

— Прошу вас, мадам, можете ознакомиться. Пройдите, пожалуйста, вот в эту комнату. Здесь тесно, и мы не хотим вам мешать. А у нас есть работа!

— Хорошо, но ответьте мне на один вопрос.

— С удовольствием, мадам.

— В данный момент кто-то наблюдает за Лакшиной?

— Разумеется, мадам! — поспешил ответить Денис. Не объяснять же этой дуре, что наблюдение на киностудии во время съемок попросту невозможно и бессмысленно. Это было давно проверено. Кто-то из них сопровождал Варю до студии, а потом возвращался к концу смены.

— Ну, хорошо! — Марьяна ушла в маленькую комнатку. Прошло не менее получаса, и она появилась снова.

— Что это значит? За два месяца только один мужик и тот ее бывший муж?

Денис молча развел руками.

— Можно подумать, она святая! Ну вот что, я хочу, чтобы вы продолжили за ней следить. И вот еще что... Ночью вы тоже за ней следите?

— Мадам, мы следим только до возвращения объекта домой. По ночам она спит. И нам тоже надо иногда спать.

— А вы убеждены, что она не спит с Бурмистровым?

— Если только в театре во время спектакля! — взорвался Вениамин. — У Бурмистрова полно девушек. Они с Лакшиной просто друзья.

— Интересно, очень интересно!

— Мадам, мне кажется, что мы работаем впустую.

— Но я же вам хорошо плачу!

— А брать деньги за пустышку как-то не вкусно, знаете ли.

— И все-таки! Вот вам то, что я должна была, и прошу вас последить за ней еще один месяц. Только один! Расценка та же.

— Почему бы и нет, в конце концов! — решил Денис.

— Хорошо. Никакой связи со мной поддерживать не нужно, я сама приду через месяц и... там будет видно. Всего хорошего.

— Мадам, а вы материалы с собой заберете?

— Нет. Они мне не нужны. Можете их уничтожить, всего хорошего!

— Слушай, это надо же, две сестры и такая разница! — воскликнул в сердцах Денис.

— Загадка сфинкса!

Марьяна, с одной стороны, была разочарована, но с другой... Может, я зря подозреваю Ваню? Может, ничего у него с Варькой и нет? Просто он действительно возместил ущерб и подарил ей квартиру? Или следить надо было за ним? Но это нереально! Вот интересно, почему это Варька поехала с Симбирцевым не к себе, не к нему, а в гостиницу? Может, это Ваня запрещает ей водить туда мужиков? Или просто у меня паранойя? Нет, никакой паранойи! Но почему вдруг, ни с того ни с сего, такой взлет, такой успех? Ладно, первый фильм — это счастливый случай. А дальше? А дальше появился Ваня. Он спонсировал рекламную кампанию... Продюсировал второй фильм... Скорее всего, газетная шумиха тоже им проплачена. Эти восторженные отзывы о спектакле... Да, очень похоже... Ничего в Варьке особенного нет... Подумаешь, кинозвезда! Это все на Ванечкины деньги, я уверена. А Ваня не тот человек, который будет заниматься благотворительностью. И какой вывод? Он с ней спит! И кстати, поначалу он настаивал, чтобы мы общались с ней, а потом просто снял этот вопрос с повестки дня! А между прочим, то, что Варька не спит с Димой, тоже подозрительно. Небось, Вани боится... А с Симбирцевым все же переспала, но в гостинице... Очень, очень подозрительно! И что же это получается? Что в один прекрасный день он меня бросит и женится на Варьке? Я этого не переживу! А если бросит и женится на ком-то другом, я разве переживу? Это переживу... наверное. Все мои подружки под этим страхом живут... А вот Варьку не переживу... И что же делать? А может, мне просто поговорить с ней? Спросить напрямки — да или нет? Она честная, может и признаться... Нет, это успеется... Надо попробовать сначала другое...

— Ванечка, скажи, а этот фильм, который собирается снимать Шилевич, тоже ты продюсируешь?

— Да, а что?

— Зачем ты это делаешь?

— Мне это интересно, во-первых, довольно выгодно, во-вторых... А почему ты спросила?

— Понимаешь... Да нет, просто так... И там опять Варвара снимается?

— Конечно, если бы не она, я бы вряд ли связался с кинопроизводством.

Марьяна побледнела.

— Ваня!

— Что Ваня? Твоя сестра на редкость талантлива и сейчас на пике успеха. Вложения окупаются.

— А ты в курсе, у нее есть любовник?

Иван Константинович внимательно посмотрел на жену. Но ничего не сказал, только странно усмехнулся.

— Между прочим, мне сказали, что видели ее в одной гостинице с Симбирцевым! В московской гостинице!

— Ну и что?

— Скажи на милость, зачем им уединяться в гостинице, если у нее и у него есть жилье, а?

— Понимаешь, Марьяна, меня совершенно не интересует этот вопрос! — ледяным тоном ответил Иван Константинович. — А если он так жгуче интересует тебя, спроси у сестры!

— Вот еще! Не хочу я с ней общаться!

— Не хочешь, как хочешь, а меня, будь любезна, избавь от столь идиотских разговоров.

С этими словами Пирогов встал и ушел к себе в кабинет.

Я права, его это задело, он с ней спутался, и что мне теперь делать? Но почему сыщики ничего не нарыли? Может, просто боятся его? Или он их перекупил? Но как он мог узнать? Или он следит за мной? Но зачем? А может, он хочет меня подловить на прелюбодеянии, чтобы легче развестись со мной? Хотя у меня же никого нет... Но это похоже на правду...

— Женечка, кажется, получилось! — ликовала Даша Деникина.

— Ты переспала с ним?

— Нет, что ты! Но он в меня влюбился!

— С чего ты взяла?

— Понимаешь, мы были в ресторане...

— И что?

— А то, что он на утро приехал на съемки совершенно другой! Веселый, добрый, даже ласковый... Глаза блестят... с ума сойти можно! Он в ресторане сперва был хмурый, усталый какой-то, безразличный, и вдруг его как подменили... Такой стал веселый, озорной даже! Там какой-то занудный дядька был, так он решил от него сбежать! Это надо было видеть. И наутро эти перемены тоже... Мне все в группе сказали — наверное, Симбирцев в тебя влюбился... Я так счастлива!

Варе позвонила Катя Вершинина.

— Варь, как ты?

— Нормально! — звенящим счастливым голосом откликнулась Варя.

— Слушай, надо повидаться, есть интересное предложение!

— Катюш, какие сейчас предложения? У меня секунды свободной нету!

— Но ведь будет! Отснимешься, и пожалуйста, а предложение весьма интересное. От таких, собственно, не отказываются!

— А что?

— Не по телефону! Скажу только одно слово — Европа!

— То есть заграничное предложение?

— Да. Встретимся?

— Хорошо, но я посмотрю, когда это возможно... Давай, может, между репетицией и съемкой. У меня съемка вечерняя. Тогда пообедаем вместе?

— Давай. Только я приеду с Лешкой. Мне его девать некуда!

— Обожаю твоего Лешку!

Лешка, шестилетний сын Кати, которого она воспитывает одна, был горячим поклонником Вари. Когда он ее видел, у него рот растягивался до ушей и он неизменно произносил, безбожно картавя:

— Вайвая, моя любимая женщина!

Он занимался с логопедом, и похоже, занятия были незряшными, потому что при виде Вари он кинулся к ней с криком:

— Варрrварра! Любовь моя!

— Лешечка! Какой ты молодец! — умилилась Варя.

— Рррррррр! — зарычал Лешечка.

— Так собой гордится! — сказала Катя. — Ну все, Алексей Эдуардович, сейчас ты сидишь тихо. У нас дела! Ой, Варечка, ты так сияешь! Что с тобой? Роман завела?

— Ага!

— С Димкой, что ли?

— Нет.

— А я его знаю?

— Мама, это не ррработа! Это пррро мужиков! — вмешался Алексей Эдуардович.

Женщины покатились со смеху.

— Алексей Эдуардович, мы договорились, что ты не лезешь во взрослые разговоры!

Мальчик промолчал и даже прижал ко рту ладошку. Катя сделала Варе знак, мол, потом поговорим о нашем, о девичьем.

— Так вот, Варь, есть предложение от Джанни Бернини.

— Это кто?

— Итальянский продюсер. Предлагает роскошную роль у Никколо Бертольди. Его ты знаешь?

— Ой!

— Вот то-то же!

— А когда?

— Сроки обговорим. В принципе ты согласна? Если да, я займусь переговорами.

— А что за роль?

— Фильм приключенческий. О русской аристократке, которая эмигрировала в Турцию после революции. Сначала она зарабатывает проституцией, потом ее находит англичанин, который был в нее раньше влюблен, и она становится агентом Интеллидженс Сервис.

— Нет.

— Что нет? — ахнула Катя.

— Я не буду в этом сниматься.

— Но почему?

— Потому что потом я стану играть только суперагентов. Мне это уже неинтересно! К тому же у меня сейчас и так... Катя, не сердись, но я не хочу!

— Слушай, это глупо! Бертольди знаменитый режиссер!

— Знаешь, если мне предлагают роль, которую я уже играла, то, значит, режиссер во мне ничего другого не видит. А мне это не интересно!

— Вот скажи на милость, это ты такая принципиальная или здорово обнаглевшая?

— И то и другое! — засмеялась Варя. — Но все-таки больше принципиальная. Знаешь, я вообще скорее театральная актриса, я недавно это поняла... Был, наверное, уже сороковой спектакль «Шмеля». И вдруг к концу первого акта я ощутила такое волшебное чувство... какой-то невероятной власти над залом... Я была как пьяная... и дико боялась, что во втором акте не будет этого чувства, а оно опять было... И это ни с чем не сравнить...

— А кто-нибудь еще это заметил?

— Да. В первую очередь Дима. Ну и Филипп, он с нами ездил. Такого мне наговорил...

— Варь, но ведь в театре много не заработаешь. А Бернини предлагает роскошный гонорар!

— Не хочу... Вообще не хочу надолго уезжать.

— Ах да, у тебя же новый... — Катя покосилась на сына, с аппетитом уплетавшего пиццу, — объект. Я его знаю?

— Конечно.

— Опять артист?

— Да.

— И опять не Димка? Что ты его мучаешь! Ладно, артистов много, всех не упомнишь. Колись!

— Симбирцева знаешь?

— Спятила, да?

— Да. И давно.

— Опять двадцать пять! И где жить будете?

— Мы не будем вместе жить. У нас просто роман. Тайный для всех. Тебе я сказала, потому что надо было хоть с кем-то поделиться, и я уверена, что ты будешь молчать.

— Что за детские игры? — поразилась Катя.

— Понимаешь, мы любим друг друга, не можем быть врозь, но и вместе не можем... И вот решили... У нас же не было романа...

— Ну и в чем этот роман заключается? — весьма скептически осведомилась Катя.

— А в чем они обычно заключаются? — рассмеялась Варя.

— Конфеты-букеты? Или уже... — Катя покосилась на сына.

— Уже!

— И где?

— В гостинице.

— Что? Совсем сдурели? Это ж скоро станет достоянием общественности! Опять начнут вас полоскать... Не надоело?

— Все равно ведь полощут...

— А домой он к тебе не ходит?

— Я даже не зову... В эту квартиру нельзя.

— Варь, ты все-таки совсем дурная... — скривилась Катя. — Я все понимаю, Стас мужик охренительный, в нем столько всего, но...

— Кать, я все «но» знаю и понимаю, но ничего не могу с собой поделать. Люблю его.

— Тогда чего уходила? Впрочем, это сказка про белого бычка! Ладно. Давай к делу. Бертольди, значит, посылаем... Я, правда, рассчитывала на солидный процент, но...

— Кать, — расстроилась Варя. — Мне правда неохота опять играть суперагента...

— Все, проехали! Но за это ты согласишься на фотосессию у Линдберга!

— Да ты что? — ахнула Варя! — Конечно, соглашусь!

— И на интервью для трех журналов. Два с портретами на обложке.

— Хорошо.

— Варь, но все-таки это глупо... ты бы хоть сценарий прочитала. Там вообще-то другая роль, это не Марта.

— Кать, ты пойми, я ж репетирую «Пигмалиона»! Это мечта, даже мечтать и то я бы побоялась, а тут...

— Ну, а как репетиции?

— Трудно.

— В труппу пойдешь?

— Ой нет! Такой гадюшник...

— Жрут?

— Жрут. Правда, Димка заступается... один раз даже скандал устроил...

— Он тебя любит!

— И я его люблю!

— А Стас?

— Дима — друг, верный, хороший друг...

— Ой, я не могу! Скажи лучше, у тебя что, кроме этих двух никого больше нету на примете? За тобой же наверняка многие ухлестывают?

— На фиг они мне сдались? Мне некогда!

— Недальновидно, Варечка!

— Ну и пусть!

— Вы опять прро мужиков? — вступил в беседу Алексей Эдуардович.

— Нет, Лешечка, — грустно проговорила Катя, — для меня во всем свете существует только один мужик, это ты. А для Вари ее сын, Никитка!

— Так я и поверррил!

Варе пришла эсэмэска: «Завтра буду в Москве. Дико скучаю. Встретимся?» Варя вспыхнула и ответила: «Я тоже дико! У меня завтра «Шмель». «Заберу тебя после спектакля».

Стас решил во что бы то ни стало посмотреть спектакль. Он видел «Песни шмеля» два раза, третий и двенадцатый спектакль. Однако к началу он не успел. Его, конечно же, пустили в зал и поставили стул. На сцене был только Дима. Он говорил по телефону. Хорош, подумал Стас, чертовски хорош! Но тут вышла Варежка! Стас задрожал. Как она двигается, какой у нее волшебный голос... Но дело даже не в этом. Раньше она была просто прелестна в этой роли, но слегка зажата, профессионал сразу мог распознать некоторую неопытность, даже растерянность иногда... А сейчас! Сейчас это была истинная актриса, зрелая, уверенная и, главное, владеющая залом! Вдвоем с Димой они составляли такой восхитительный дуэт! Как она выросла! Какой быстрый прогресс! Неужели это моя женщина? Неужели сегодня она будет со мной? Я люблю ее... Больше всего на свете люблю... Стас сцепил пальцы до боли в суставах. Между тем она играла сцену соблазнения. В ней нет и капли вульгарности. Конечно, сцена блистательно решена режиссерски, но далеко не всякая, даже талантливая актриса способна так же блистательно воплотить замысел режиссера! Как же все случайно в судьбе актера... Такой талант едва не пропал... Стас чувствовал, что большинство мужчин в зале хотят ее не меньше, чем он... Но она моя! Моя! Он помнил, что в конце первого акта она поет очень милую песенку. У него всегда кружилась голова, когда она пела. Он хотел сбежать, чтобы в антракте его не засек кто-нибудь из знакомых, но так хотелось дослушать песенку... И все-таки он не дослушал последний куплет и выскочил из зала.

— Уходите? — шепотом спросила билетерша, принесшая ему стул.

— Курить хочу! Я вернусь. Спасибо вам!

Он стремительно вышел на улицу, вдохнул сырой осенний воздух. Хорошо! Достал телефон и послал эсэмэску: «К концу спектакля подъеду к служебному входу. Ты со мной?» Ответ пришел минут через десять, как он и ожидал. «Спасибо, я без машины. Люблю». Маленькая моя! А я-то как люблю! Стас стоял чуть поодаль от крыльца дома культуры, где проходил спектакль. Несколько курильщиков тоже предпочли улицу театральной курилке. Один из мужчин показался Стасу знакомым. Денис, что ли? Тот тоже приметил Стаса и сбежал с крыльца.

— Привет, звезда экрана! — тихо сказал Денис.

— Гению сыска мое почтение! Ты что, театралом заделался?

— Как видишь!

— Ну и как тебе?

— Тебя что интересует? — усмехнулся Денис.

— Как тебе... Лакшина?

— Чудо! Везучий ты, Стас!

— Да, дружище, мне повезло... — как-то даже беспомощно и очень искренне улыбнулся Стас.

А у Дениса все внутри перевернулось от зависти. Раз Стас здесь, значит, сегодня они опять проведут ночь вместе? Что за дурацкую игру они затеяли? Тайный роман?

— А ты чего ж без цветов? — спросил он с усмешкой.

— Блин! Ты гений, Денис! Не знаешь, где тут поблизости можно купить?

— Вон за тем углом палатка есть.

— Спасибо, гений сыска! Рад был тебя повидать! — И Стас бегом бросился прочь. Денис заметил, что он прихрамывает. Да, работка!

Стас купил букет чудных рыжих хризантем. Может, стоит подарить их ей из зала? Подойти к сцене и преподнести? Вообще-то у него был припасен для Варежки еще один подарок... Нет, не надо мне там светиться. И он оставил цветы в машине. Хризантемам ничего не сделается.

Он сидел на своем стуле и наслаждался. Но финальная сцена повергла его в смятение! Ничего такого раньше не было! Ни этого платья с голой спиной, ни этих поцелуев, неужели между ними что-то есть? — вскипел Стас. Или я просто не помню и все так и было? Ерунда, они же актеры, очень высокого класса актеры, и я просто обязан поверить в то, что между ними настоящая страсть... А вот она снимет это блядское платье и грим, выбежит ко мне, сядет в машину... Я поцелую ее и сразу все пойму... А вдруг пойму, что она еще не остыла от Димкиных объятий? Он в задумчивости побрел к машине и опять столкнулся с Денисом.

— Дэн, ты что, один пришел? Без девушки?

— Один.

— Что это с тобой? — крайне удивился и насторожился Стас.

— Я тут на работе! Мой объект здесь! Ладно, пока, мне некогда!

— Маме привет! — крикнул ему вдогонку Стас. Нет, я все-таки ненормальный, я чуть было не приревновал Варежку к Денису. Бред, чистой воды бред! Смешно даже предположить, что Дениска стал таким театралом, что ходит в театр один. Да даже если? В конце концов, мог же он просто как зритель влюбиться в Варежку? Да не мог бы, а просто обязан был влюбиться... Но она-то об этом не подозревает, а я кретин.

Из служебного подъезда появился Дима, к нему кинулась стайка девиц. Он раздавал автографы. И вдруг дверца машины открылась и на сиденье скользнула Варя.

— Стас!

— Ты откуда взялась? — счастливо рассмеялся он.

— А там есть еще один выход! Давно ждешь?

— С середины первого акта! И вот тебе цветы! Ты была неотразима!

— Ты смотрел спектакль?

— Да. Дай поцелую!

— Погоди, ты смотрел?

— Конечно! — он гладил ее лицо. — Я смотрел, я в восторге, ты так выросла, ты просто чудо... Я с ума сходил, ревновал тебя ко всему залу...

— Стас!

— Скажи, я просто не помню или финал изменился?

Варя сразу все поняла и сочла за благо соврать.

— Все так и было.

– И это платье?

– И платье. Стас, если ты сейчас начнешь ревновать к Диме, который трогает мою голую спину, я лучше сразу уйду!

– Дурочка моя, я же от любви... ладно, поехали скорее!

– А куда?

– Ко мне.

– Стас!

– Мама уехала.

– А...

– Ты спроси куда.

– И куда же?

– К твоей маме.

– Ты шутишь?

– Ни чуточки. Они ж подружки теперь. Постоянно общаются, а Анна Никитична тебе не говорила?

– Нет. Надо же... А как же Никита?

– Думаю, нормально. Иначе вряд ли твоя мама пригласила бы мою. Ты недовольна, Варежка?

– Да нет, почему... Это в конце концов их дело. Они обе достаточно одиноки, и если им так лучше... Стас, я ужасно голодная. Я всегда после спектакля...

— Знаю, — нежно улыбнулся он. И полез в сумку. — На вот, держи! — он сунул ей в руки какой-то пакет.

— Что это?

— Голландская селедка в булке, как ты любишь.

— Ой, Стас, откуда?

Варя с восторгом откусила кусок.

— Вкууусно! Настоящая голландская... Откуда?

— Да случайно увидал в магазине, купил, ну а лук и огурцы — это не сложно. Я же помню, что ты после спектакля хочешь есть... Но ты не думай, я ужин тоже приготовил... — Он смотрел на нее с такой любовью!

— А как там Стэлла?

— Жива. Я ее с тех пор не видел. Только по телефону общаемся, но она собирается в Москву. Она сказала, что я самый большой идиот из всех, кого она знает.

— Почему?

— Потому что тебя потерял... Но я ведь не совсем тебя потерял, а, Варежка? — он смотрел на нее с детской мольбой в глазах.

— Ты не знаешь, что я тут делаю?

Он просиял. Господи, совсем ребенок...

Варя полезла в бардачок, она помнила, что у него там всегда лежат влажные салфетки. И этот простой и такой естественный ее жест несказанно обрадовал его.

– Поехали!

– Погоди, у меня еще есть для тебя сюрприз! Вот! – он протягивал ей маленький бархатный футляр.

– Стас, что это?

– Посмотри!

Варя открыла футляр.

– Боже, какая прелесть! – Там лежало очень красивое и оригинальное кольцо. На сплетенной из тончайших золотых нитей неправильной формы тарелочке лежала небольшая розовая жемчужина. Варя пришла в восторг.

– Стас, какая прелесть! Откуда это?

– Да ты примерь, вдруг не впору.

Кольцо пришлось впору и очень здорово выглядело на длинном тонком Варином пальчике.

– С ума сойти! Вот вроде бы и большое, а такое легкое, воздушное, никогда таких не видела. Откуда, Стас?

– Были съемки в Израиле, и я нашел... Правда нравится?

– Не то слово!

— Будешь носить?

— Еще бы! Мне только немного грустно, что я ничего тебе не подарила...

— Глупости какие! Ты сама лучший подарок в моей жизни.

И чего они дурью маются, со злостью подумал Денис Воробьев, по долгу службы наблюдавший эту сцену. Вечно у Стаса все не как у людей... Интересно, куда они на сей раз поедут?

Утром Стас спросил:

— Какие сегодня планы? Куда тебя отвезти?

— Домой, надо переодеться...

— Ты не обидишься, если я вызову тебе такси? — чуть помедлив, процедил сквозь зубы Стас.

Варе кровь бросилась в лицо.

— Знаешь что... Пожалуй, хватит нам крутить роман... Это была глупая и пошлая затея. Из нашего романа все равно ничего не выйдет!

— Варежка, погоди!

— Ты обошелся со мной, как с проституткой! Трахнул в свое удовольствие, расплатился колечком, а наутро...

— Варька, перестань, что ты несешь!

— Ты не захотел отвезти меня домой, потому что я живу в квартире, которую подарил Пирогов?

— Да. Я не могу...

— А я могу! И даже моя мать считает это нормальным! Мне там удобно, никто не достает, не прокалывает шины, не жжет двери... Хотя тебе на это наплевать! Тебе нет до меня дела, ты просто любишь со мной спать, а что со мной происходит в остальное время, тебе до фонаря! Все, с меня хватит! Ты просто лелеешь свои комплексы и дурацкие принципы!

— Варежка, что ты говоришь... — совершенно растерялся от ее напора Стас.

— Говорю то, что наболело! Не подходи ко мне! Вот, возьми свое кольцо, между нами все кончено!

И она в слезах выскочила из квартиры.

Ей почти сразу удалось поймать такси. Она забилась на заднее сиденье и дала волю слезам.

Водителем оказалась женщина лет пятидесяти.

— Из-за мужика ревешь? — спросила она немного погодя. — Так не стоит.

— Знаю, — всхлипнула Варя, — просто выплакаться надо...

— Ну поплачь... Только жизнь свою не ломай.

— Еще чего!

— Вот и молодец!

— А знаете что, не поеду я в Крылатское, за те же деньги отвезите меня на Большие Каменщики.

— Без проблем, дамочка!

Варя влетела в подъезд, поднялась на третий этаж и позвонила в дверь.

Тут ей в голову пришло, что у него сейчас может быть какая-нибудь девица... Вот и хорошо, тогда все сразу станет ясно.

— Кто там? — раздался знакомый голос.

— Дим, это я!

Дверь распахнулась. На пороге стоял Дима в красивом шелковом халате.

— Варька, что стряслось? Заходи, ты плачешь?

— Ты один?

— Один. Кофе будешь? Варька, ну что с тобой? Кто обидел мою девочку?

Он нежно обнял ее, погладил по голове.

Она подняла к нему зареванное лицо.

— Дим, женись на мне, а?

— Варь, ты что? Я не ослышался?

— Нет, Димочка, миленький, ты же говорил...

— Говорил. Но...

— Ты передумал?

— Варь, объясни толком, что стряслось? Опять Стас? Ну-ка, посмотри мне в глаза. Он тебя ударил?

— Нет, но я поняла, что...

— Ты когда успела? Вчера после спектакля? Ты с ним ночь, что ли, провела?

— Да...

— А утром решила выйти за меня?

— Дима!

— Что Дима? Я, девочка моя, так не хочу. Ты помираешь от любви к Стасу, а я должен тебя от этого спасти? Нет, не получится. И не вздумай на меня обижаться.

— Димочка, милый, ты не прав, у нас получилось бы... ты же сам говорил про индийский горшок...

— Ты завтракала?

— Что?

— Ты что-нибудь ела?

— Нет, но я не хочу...

— Ерунда, пошли на кухню, я сейчас сделаю нам хороший омлет...

— Значит, ты на мне не женишься...

— Варь, я был бы, наверное, самым счастливым человеком на свете, если бы ты стала моей женой...

— Не понимаю...

— Но при других обстоятельствах. Я, Варька, не создан быть жертвой, понимаешь? Не мое амплуа. А ты мне предназначила именно такую роль. Ты любишь Стаса, ты невольно будешь меня с ним все время сравнивать, ты в лучшем случае позволишь себя любить. Температура воды в горшке всегда будет еле теплой, и в результате мы просто разбежимся, может, даже возненавидим друг друга. А все ради чего? Чтобы насолить Стасу? Мы с тобой друзья, и мне было бы жаль потерять твою дружбу... Знаешь, я одно время безумно хотел с тобой спать, а потом подумал: баб для постели до фига и больше, а такой подруги у меня никогда не было и не будет, тогда зачем? Вот если бы я понял, что ты тоже любишь меня... Тогда совсем другое дело, а так... Я уже взрослый, Варечка...

— И очень умный, — всхлипнула она. — Даже, наверное, слишком...

— Может быть... — ласково улыбнулся Дима. — Ты все-таки поешь, выпей кофе, и поедем в театр...

— Дим, я... ты прости меня, ладно? Я очень-очень тебя люблю. Но ты прав. Я тоже ни за что не хочу терять такого друга...

— А со Стасом ты еще сто раз помиришься.

— Нет, я больше не могу...

— Расскажи толком, что случилось.

Варя рассказала.

— Варька, это же ерунда. Ну упертый твой Стас... Ты же это знаешь. Ну поехала бы на такси... Большое дело.

— Но и он мог бы довезти меня до дома!

— Мог бы, кто спорит! Я уверен, что он уже терзается из-за этой ошибки... Да ну вас, надоели хуже горькой редьки! Вот увидишь, он через несколько дней явится к тебе домой, с цветами и тем самым признает свою ошибку, и вы опять будете счастливы до следующей ссоры, примерно недельку... Вот, ешь омлет!

— Терпеть не могу омлет, а вы все время мне его впихиваете!

— Кто мы? Я и Стас, что ли?

— Ну да, он в Амстердаме в отеле все хотел впихнуть в меня омлет...

— И ты примчалась выходить за меня замуж? — расхохотался Дима. — Ты же все время о нем думаешь, все время хочешь произносить его имя... Знаешь, Варька, я дам тебе один совет.

— Какой?

— Заведи себе мужика! Для постели. И вроде Стасу насолишь, и не будешь так в нем нуждаться.

— Я не смогу...

— А ты попробуй! Оглянись вокруг, желающих тьма! Может, найдешь и получше Стаса.

— Лучше просто не бывает.

— О! Что и требовалось доказать! Тогда терпи, пока эта любовь и страсть не кончится естественным путем... Ты безнадежна, Варька!

— А омлет у тебя вкусный, — всхлипнула она.

— Варвара Леонидовна, вы сегодня молодцом! — впервые за время репетиций похвалил ее Маковский. До сих пор он помалкивал, только делал замечания по ходу репетиций, но не давал никакой оценки.

Варя вспыхнула от радости.

— Кураж поймали, я все ждал, поймаете или нет... И, честно говоря, уже начинал сомневаться в своем выборе, а сегодня я очень доволен. Продолжайте в том же духе, и все будет отлично. Вот так, дорогая моя!

Если бы он знал, как важны были для нее эти слова именно сегодня! И славный Николай Федорович Лисицын, игравший полковника Пикеринга, заметил:

— Варюш, ты и вправду молодец. Дай тебе Бог!

А Дима просто показал ей большой палец и подмигнул!

Жизнь налаживается, думала Варя. Ничего, проживу и без Стаса. Не может же все быть хорошо! А что для меня важнее? Моя профессия, без нее я уже не могла бы жить, а без Стаса... проживу! Вот, я покончила с ним и сразу стала лучше играть! Значит, все правильно.

Варя побеседовала по скайпу с сыном. Он ни слова ей не сказал о приезде Марины Георгиевны. Странно, подумала Варя, а впрочем, это не мое дело. Я так устала сегодня! Она выпила снотворное и все равно проворочалась полночи и уснула лишь под утро.

Даша Деникина рыдала на груди у сестры.

— Женечка, я так его люблю... Но ничего не выходит! Он смотрит на меня, как на пустое место... Я уж и так и сяк, а он... Вчера наорал на меня и сегодня тоже...

— За что?

— Я сказала, что свет на площадке скоро вклю́чат, а он как заорет...

— Не поняла?

— Ударение, видите ли, не там поставила... А потом уже на площадке я по тексту говорю: «Ненавижу я эти торты́!» А он вдруг как ногой топнет, как заорет на режиссера: «Ты что, спятил? Кого ты снимаешь? Они тут все по-русски говорить не умеют, я не желаю позориться... Ты обязан следить, чтобы актеры грамотно говорили...» И все в таком роде...

— За чистоту русской речи борется, значит?

— Да, это вчера все было, а сегодня принес большущий плакат, а на нем написано: «Не торты́, а то́рты! Не банты́, а ба́нты, не шарфы́, а ша́рфы, не крема́, а кре́мы, не вклю́чено, а включено́» и так далее, представляешь?

— Ну и молодец! — пожала плечами старшая сестра. — И вот что я тебе скажу, сестренка, брось ты эту затею, он тебе пока не по зубам! Я тут узнавала, он хоть и простой с виду, а интеллектуал, книжки умные читает.

— Но я люблю его!

— Любишь или хочешь переспать?

— Люблю и хочу переспать!

— Ну, затащить мужика в койку особого ума и интеллекта не надо, но вот удержать потом... Это вряд ли...

— Значит, по-твоему, я безмозглая дура?

— Нет, просто ты девушка другого поколения, а он еще не так стар, чтобы клюнуть просто на молодое тело...

— А разве не все клюют на молодое тело?

— Почти все, но он явно не относится к этому большинству. Впрочем, попробуй, вдруг у вас с ним какое-то невероятное физиологическое совпадение.

— Да ну тебя, Жека, ты такая неромантичная!

— А он, конечно, законченный романтик!

— Да, представь себе! Макс вот рассказывал, как он с первого взгляда влюбился в Лакшину, как при всей группе замуж ее позвал...

— Ну и много ли толку? Они давно уж разбежались. Он практически четыре раза женился, и все мимо... Нет, сестренка, не валяй дурака, ищи себе парня помоложе и попроще. Или уж кого-то лет на тридцать старше...

— Нет, я все-таки еще попытаюсь.

— Ну, дело твое.

Вот уже почти год Варя занималась вокалом с очень старым преподавателем Гнесинки Петром Петровичем Белосельским.

— Ах, деточка, — говорил он ей, — из тебя могла бы выйти отличная певица, попади ты вовремя мне в руки, могла бы и в Большом петь...

— Петь в Большом маленькие партии? — смеялась Варя. — Только не говорите, что нет маленьких ролей...

— Зачем же я буду изрекать банальности! Но правильно петь я тебя научу, с тебя и хватит.

Варя приехала на очередной урок, глаза у нее при этом светились странным лихорадочным блеском.

— Петр Петрович, миленький, меня пригласили на церемонию вручения кинопремий!

— И что?

— Я должна там что-то спеть...

— Спой, в чем проблема?

— Что спеть, я не знаю!

— Я, видишь ли, не очень понимаю, что там такое будет...

— А вы по телевизору никогда таких церемоний не видели?

— Я вообще не смотрю телевизор. А что это у тебя глаза так блестят? А, я, кажется, понимаю... Ты должна всех там убить? Да?

— Да! Всех и еще...

— И еще одного?

— Двух! Но чтобы наповал!

— Всех и еще двух? Как интересно... — улыбнулся Петр Петрович. — А они там точно оба будут?

— Точно! Одного номинировали на премию, а со вторым я буду эту церемонию вести.

— А ты уверена, что ему, ну, тому, который номинирован, премию дадут?

— Нет, не уверена, у него этих премий куча, но в зале-то он будет...

— Варь, объясни мне, что ты хочешь этим двум несчастным доказать?

— Это сложно... Хотя... Я хочу им доказать, что оба они идиоты.

— Так... А после твоего выступления эти несчастные должны стать похотливыми козлами и драться за тебя?

— Нет. Драться не надо... Хочу, чтобы они пожалели... каждый о своем!

— О, Варя, будь я хоть на двадцать лет помоложе... Но в мои восемьдесят два я уже не могу претендовать на что-то, однако оценить силу воздействия еще вполне в состоянии. Нам нужен сексуальный шок?

— Именно! Какой вы умный!

— Знаешь, странно... Я много лет не вспоминал один романс. Его когда-то фантастически пела Леночка Образцова...

— О, разве я такое вытяну?

— Можно кое-что перетранспонировать... А какой там аккомпанемент будет? А хочешь, если у нас получится, я сам тебе саккомпанирую? И полюбуюсь на твой триумф...

— Петр Петрович, дорогой вы мой! Но что за вещь-то?

— «Кони-звери» знаешь?

— Эх, вы, кони, кони-звери, звери-кони, эх?

— Именно! Ты пела это?

— Петр Петрович, вы просто гений! Я это пела только дома, но слова, кажется, помню...

— Попробуем? — И Петр Петрович заиграл вступление.

> Там за белой пылью,
> В замети скользя,
> Небылицей-былью
> Жаркие глаза...
>
> Былью-небылицей
> Очи предо мной...
> Так быстрей же, птицы!
> Шибче, коренной![1]

— Стоп! Тут неправильно... Надо еще ниже, и опирай звук, больше опирай! Но в принципе... Будем работать! И твои козлы с громким блеяньем побегут за тобой на край света.

Стас был в отчаянии. Что я за урод такой? Она кричала: ты лелеешь свои комплексы и дурацкие принципы... И ведь права, права! Что

[1] Стихи И. Сельвинского.

со мной случилось бы, если бы я просто довез ее до дому? Развалился бы на части? А она обиделась, крепко обиделась... Но ведь она любит меня, могла бы проявить снисхождение... Нет, только не это! Она любит меня сильным. А я слабый, дурак, упертый кретин... Но что же теперь делать? Неужто я опять потерял ее? А я без нее не могу... Я становлюсь злым, бешеным, срываюсь на ни в чем не повинных людей... Эту несчастную дурищу Дашку запугал до полусмерти... Правда, она назойливая, как муха... Может, обидится и отвяжется наконец? Никакой гордости у девчонки нет. Терпеть не могу таких... И вообще, я люблю только Варежку. Но ничего у нас не получается... Как же быть? О, кажется, я знаю! Я поеду к ней! Явлюсь в эту ее чертову квартиру с цветами и кольцом, которое ей так понравилось, но она швырнула мне его в морду. Тем самым я признаю свои ошибки, сдам позиции, и никуда она от меня не денется! Я верю, хочу верить, что ничего у нее нет с этим Пироговым, это просто моя дурь... А сколько можно страдать из-за собственной дури? Надо только подождать еще дня два-три, пусть остынет как следует, ну и соскучится, наверно...

А Варя решила действовать. Я больше не могу! Димка отказался на мне жениться, и он, кстати, прав, но все равно обидно. Ничего, я еще заставлю его пожалеть об этом. Но главное сейчас — справиться с этой дурацкой любовью... И я справлюсь! Она позвонила Кате Вершининой.

— Кать, не удивляйся, я сейчас спрошу...

— Спрашивай скорей, я занята!

— Кать, ты уже окончательно отказала итальяшкам?

— Ты о чем? О Бертольди?

— Ну да.

— Ты передумала?

— Да!

— Все-таки я здорово умная. Я все тянула с ответом. Вот что, давай встретимся где-то... У тебя вечер занят?

— После десяти я свободна.

— Отлично!

Они встретились в кафе.

— Привет, а с кем Лешечка?

— Няньку нашла, вроде приличная... Варь, ты чего такая?

— Какая?

— Как в лихорадке...

— Потом расскажу. Так что с Бертольди?

— Порядок! Я с ним связалась, он счастлив!

— Правда? Как хорошо! И когда что?

— Ну, для начала он примчится в Москву. Должен с тобой пообщаться, понять, что к чему...

— И когда он приедет?

— Послезавтра!

— Класс!

— Варь, в чем дело? То ты вся из себя гордая и прекрасная, не хочу играть супер-агента, и вообще я театральная актриса... И вдруг... бабки понадобились?

— И это тоже, но главное, я хочу... слинять из Москвы.

— А «Пигмалион»?

— Буду совмещать, Семен Романыч сказал, что новый фильм пока откладывается, так что...

— А с чего это ты из Москвы линять хочешь? От Стаса, что ли, спасаешься?

— Да, Кать, я больше не могу! Мы любим друг друга, и ничего у нас не выходит... Надо нам обоим остыть, успокоиться...

— А что опять случилось? — устало спросила Катя.

— Понимаешь, он такой упертый! Такой зацикленный на себе, на своих принципах...

— Это не так уж плохо...

— Да, если речь идет о чем-то серьезном, а он из-за ерунды...

И Варя рассказала подруге о последней ссоре. Та только головой покачала.

— А кольцо красивое?

— Не то слово! Прелесть...

— И ты ему в морду его швырнула?

— Швырнула. В морду, — вдруг всхлипнула Варя.

— Так... Из-за чего слезы, из-за кольца?

— Да нет... при чем тут кольцо... Цацка и цацка... Ерунда, просто я устала... День тяжелый был...

— А как репетиции?

— Тьфу-тьфу-тьфу, чтоб не сглазить... И знаешь, ко мне как-то лучше стали относиться в театре...

— Вот поедешь в Италию сниматься, опять невзлюбят, это дело такое...

— Кать, скажи, как ты думаешь, мне хватит одного платья на вручение?

— Но ты же вроде там еще петь будешь?

— Да.

— Тогда точно нужно два!

— Господи, как успеть-то?

— Успеешь, ты хорошо умеешь все успевать, — улыбнулась Катя. — А что будешь петь, придумала уже?

— Ага!

— Умница, ну мне пора! Уже с ног валюсь.

— А ты на церемонию придешь?

— А как же... Стой-ка, там ведь Стас должен быть...

— Я это учла... — загадочно улыбнулась Варя.

— Да, у тебя один выход — сбежать в Италию, — засмеялась Катя.

Стас терпеть не мог киношные тусовки, но режиссер фильма, за главную роль в котором Стас был номинирован на премию, пристал с ножом к горлу.

— Стас, да пойми ты, это нехорошо, когда человека награждают, а его нет в зале без очень уважительной причины. Выйдешь, скажешь пару слов, улыбнешься и гуляй.

— Василий, ты пойми, не дадут мне премию, у меня таких уже две, кто ж мне третью даст? Так какого хрена мне там толочься?

— А я уверен, что дадут!

— Напрасно.

— Ну хорошо, допустим, не дадут... И все-таки надо тебе там появиться... Ну, надо! Возьми с собой какую-нибудь красотулю, она хвостом покрутит... Ты вроде с Деникиной снимаешься, пригласи ее, девчонка без ума рада будет.

— Еще чего! Она меня и так уж заколебала, дурища!

— Ну, маму возьми!

— Мамы нет в Москве. Ладно, черт с тобой! Так и быть, пойду! — скривился Стас.

— А кстати, ты в курсе, кто будет вести церемонию?

— Ой, не все ли равно?

— Бурмистров с Лакшиной!

— Что?

— Что слышал! — засмеялся режиссер.

— Тогда я точно пойду! — блеснув глазами, заявил Стас. Вот и хорошо, подойду к ней на людях, она скандалить не станет, отведу в сторонку, попрошу прощения и предложу поехать к ней... Надо уж это сделать, иначе мы вечно будем собачиться... Настроение резко поднялось.

— Шеф, тут такое дело намечается, — обратился к Денису Вениамин.

— Какое дело?

— Послезавтра состоится мощная кинотусовка.

— И что?

— Нам надо там быть...

— На хрена?

— Я точно знаю, что церемонию ведет наша Варя, а в зале будет эта лярва Пирогова.

— Блин горелый! А нам-то что?

— Как что? Во-первых, продемонстрируем свое рвение, ну и кайф словим, там красивых баб до хренища будет...

— Вень, а откуда такие сведения?

— Из надежных источников!

— И ты думаешь, нам надо вместе туда идти?

— Да почему? Я и один могу... Эта сучонка меня тоже знает. Так что...

— Допустим. А как ты туда протыришься?

— Вот в чем и вся загвоздка! Напряги свои связи!

Денис задумался. Ему безумно хотелось пойти, увидеть Варвару во всем блеске... А позвоню-ка я Стасу, решил он. Сказано — сделано. Стас сразу снял трубку.

— Привет, звезда экрана!

— Гений сыска, что это с тобой, чего вдруг решил позвонить?

— Извини, дружище, но у меня просьба!

— Валяй!

— Стасик, ты не мог бы сделать мне два билета на эту вашу тусовку, ну с премиями...

— Тебе зачем?

— Охота! Да нет, дело! Понимаешь, наш объект там будет, нельзя с него глаз спускать, а возможностей нет. Поможешь?

— Только отчасти.

— То есть?

— У меня билеты на двоих, пойдешь со мной?

— Без вопросов.

— А просить кого-то еще я не хочу. Не люблю.

— Отлично, братан! Где и когда встречаемся?

— У входа без четверти восемь! Извини, друг, мне пора.

— Спасибо, Стас!

— Ну что? — спросил Вениамин.

— Меня берут.

— А меня?

— Извини, приятель, попробуй сам, авось получится.

— Это свинство, шеф. Я нарыл такую инфу...

— Так нарой себе пропуск...

— А как? Загадка сфинкса!

— Придумай что-нибудь, ты же детектив!

Стас был очень рад звонку Дениса. Вот и хорошо, будет с кем пойти. Денька отличный малый. А если Дашка будет напрашиваться, откажу с полным на то основанием.

Народу было видимо-невидимо. Денис впервые попал на такое сборище, и ему все было интересно.

— Старичок, я думал, ты в смокинге будешь, — заметил он, критически оглядев старого друга. Тот был в шикарном твидовом пиджаке и черной рубашке без галстука. — Видок у тебя, конечно, супер, но не праздничный какой-то.

— Ничего, сойдет, — успокоил его Стас.

К нему то и дело кто-то подходил. Стоять рядом в качестве бесплатного приложения Денису не нравилось, и он тихонько отправился в самостоятельное плавание. Еще издали приметил Пирогову с мужем. На ней было какое-то немыслимое темно-синее платье с большим декольте и колье с крупными сапфирами в обрамлении брильянтов. Она была очень красива. Она ведь красивее Вари, но пустая... холодная и вообще противная, подумал Денис и пошел к ней. При виде его она побледнела, но он лишь на мгновение встретился с ней глазами и прошел мимо. Марьяна перевела дух. Надо же, подумала она, вот молодец этот Воробьев, не сачкует... Неужто Варька и вправду такая чистенькая и спит только со своим Симбирцевым? Наверное, зря я столько бабок выкинула...

В зале рядом со Стасом оказались Шилевичи. Он страшно обрадовался.

— Тетя Надя! Семен Романыч, давно вас не видел.

— Привет, Стас, рад, душевно рад!

— Ты один? — спросила Надежда Михайловна.

— Нет, со школьным другом. Он человек из другой сферы, и ему тут все интересно, крутится где-то.

У него несчастные глаза, подумала Надежда Михайловна. Но как на нем сидят вещи, просто невероятно. До того элегантен...

Церемонию открыл представитель Союза кинематографистов. Сказал несколько подобающих случаю слов и потом возвестил:

— С удовольствием сообщаю, что ведущими первой части сегодняшней церемонии будут народный артист России Дмитрий Бурмистров и не так давно взошедшая на наш небосклон звезда, несравненная Варвара Лакшина!

Как в цирке, поморщился Стас.

И с двух сторон из-за кулис стремительно вышли Варя и Дима. Она была в платье светлокораллового цвета, которое красиво развевалось при ходьбе.

— Черт, до чего красивая пара! — ахнул Семен Романович.

Она ослепительна, — подумал Стас, которого больно задело слово «пара». Она какая-то другая, победительная, в ней раньше этого не было... Чужая... Он вдруг ухватился за это слово, как утопающий за соломинку. Раньше была родная, с первого взгляда родная, а теперь нет... теперь чужая... Вот и хорошо... Там, в краю далеком, чужая мне не нужна...

Премии награжденным раздавали так называемые «вручанты», знаменитые актеры, режиссеры, операторы. Перемежалось все это концертными номерами. Денис смотрел на Варю буквально со слезами умиления. Надо же, такая красивая, такая талантливая и такая хорошая, порядочная... Он искоса поглядывал на Стаса. У того лицо было каменное. Мучается, что ли? Хотя чего ему мучиться? Разве что совесть гложет, поднять руку на такую лапушку... Вроде Венька говорил, они опять поссорились... Ерунда, милые бранятся, только тешатся.

Марьяна тоже то и дело косилась на мужа. Он был совершенно спокоен.

Премии за лучшие актерские работы вручались во втором отделении.

— Варька, молодчина! — шепнул Дима, когда они ушли за кулисы. — Переволновалась?

— Да нет, не очень... Я теперь волнуюсь, мне же еще петь предстоит... На такую аудиторию...

— Споешь как миленькая! Я в тебя верю. Кстати, не ожидал, что тебе так идет коралловый цвет... Выглядишь изумительно. Может, выпьем по глоточку шампанского?

— Нет, мне еще переодеться надо! Димочка, у меня просьба, позаботься о Петре Петровиче, пока я переоденусь.

— Позабочусь, не сомневайся! Сам обожаю старика. О, а вот и он! Петр Петрович, дорогой вы мой, сколько лет, сколько зим! Варюшка просила о вас позаботиться.

Петр Петрович с какой-то странной усмешкой взглянул на Диму. Он понял, что Дима и есть одна из двух намеченных жертв.

Варя переодевалась и по внутренней трансляции услышала: «Приз за лучшую мужскую роль! В этой номинации три претендента: Артем Тугаринов за роль в фильме «Мишень», Стас Симбирцев за роль в фильме «Наглец» и Василий Медведенко за роль в фильме «Ради всех святых». Ах, я волнуюсь, — кокетливо проговорила знаменитая «вручантка». — У меня даже руки дрожат... Итак, премия присуждается... — выдержала паузу выученица МХАТовской школы, — Стасу Симбирцеву за роль в фильме «Наглец»!

Слава богу! — подумала Варя и впилась глазами в монитор. Стас с огромным достоинством поднялся на сцену. Он жутко рад, поняла она, хоть и не показывает виду.

— Стас, ну скажи хоть что-то!

— Сказать по правде, я абсолютно не ожидал... Ведь у меня уже есть премии, но тем более я счастлив и благодарен за столь высокую оценку... Короче, спасибо!

«Вручантка» полезла к нему целоваться, «вручант» сунул ему в руки статуэтку, девушка-модель поднесла роскошный букет. Варя вдруг жутко испугалась, что он сейчас просто уйдет. Но камера следовала за ним. Он сел рядом с Надеждой Михайловной. Слава Богу!

Минут через десять ведущий объявил:

— А сейчас — песня! Вернее, романс. И споет его... Варвара Лакшина! Партию фортепьяно исполняет народный артист России Петр Белосельский!

Стас замер в некотором испуге. Надо бежать! Но тут к роялю подошел высокий худой старик в мешковатом смокинге. И вышла Варя. В черном платье, правое плечо открыто, а с левой стороны на юбке высокий разрез. Петр Петрович заиграл вступление, Варя взяла микрофон и начала неожиданно низким голосом:

Там, за белой пылью...
В замети скользя...

Стас почувствовал, что ему не хватает дыхания.

— Матерь божья! — пробормотал Семен Романович.

Дима, уже сидевший в зале, вытаращил глаза. Что она творит!

А глаза сияют,
Ласкою маня,
Не меня встречают,
Ищут не меня.

Только жгут без меры
Из-под темных дуг...
Гей, чубарь мой серый,
Задушевный друг!

Эх вы кони, кони-звери...

В зале стояла звенящая тишина. Марьяна искоса глянула на мужа. И ужаснулась. У него было такое лицо! Когда-то давно, в пору их жгучего романа, она иногда ловила на себе такой взгляд — обалдевший, потрясенный, вожделеющий... Ей стало страшно. Денис только неслышно шептал: блин, блин, блин! А Варя, чувствуя, что все у нее получается, выплескивала в зал, людям, свою боль, свою любовь, словно избавляясь от нее:

Я рыдать не стану,
Вдурь не закучу —
Я тебя достану,
Я тебя умчу!

А ведь это она мне поет, подумал Стас. Ему слышалась какая-то угроза в ее пении...

> Припадешь устами,
> Одуришь, как дым...
> В полынью с конями
> К черту полетим!

Она закончила на этой фразе, не стала петь припев, так они с Петром Петровичем решили, будет куда эффектнее.

Я их сделала! — с торжеством подумала она.

В зале поднялось что-то невообразимое. Избалованная, снобистская, привередливая, редко снисходящая до искреннего восторга публика просто бушевала.

— Браво! Браво!

А Варя, держа за руку Петра Петровича, раскланивалась, сияя.

— Умница, умница, — шептал Петр Петрович. — Но бисировать не надо! Второй раз так не потянешь.

— У меня и сил уже нет, — шепнула она.

— Господа, у нас строгий регламент, — попытался призвать к порядку зал ведущий. Это был опытный знаменитый артист. Он знал, что делать. Просто начал открывать рот, словно что-то говоря, и мало-помалу люди стали успокаиваться, многим хотелось услышать его, они стали шикать на особо рьяных поклонников Вари, и вскоре все успокоилось.

— Поздравляю, ты своего добилась, — смеялся Петр Петрович.

К ней уже бежал Дима. У него горели глаза. Он схватил ее и подкинул в воздух.

— Варька, ты чудо! Я даже вообразить не мог... Ты всех с ума свела.

— Я и хотела!

— Скажи, ты это для Стаса?

Она посмотрела в его дивные глаза и улыбнулась.

— Нет, для тебя!

— Вот стерва! Обиделась, да? А я готов. Хочешь, сегодня же объявим, что женимся?

— Нет, Димочка, поздно, поезд ушел!

Церемония между тем продолжалась.

— Ах, какой же я молодец, какой брильянт я откопал! А ведь могла пропасть девка в этой альпийской глуши, — шептал Шилевич жене.

— Ванечка, ну до чего же все-таки Варька вульгарная!

— Что? — спросил Пирогов.

— Она так вульгарно пела... И это платье рассчитано на самый низкий вкус...

Муж бросил на нее такой взгляд, что ей стало нехорошо и она умолкла.

Стас хотел уйти, бежать куда глаза глядят. Не пойду я к ней, она чужая... Она хотела мне доказать, что я не смогу без нее... А я смогу? Должен, обязан... Она хотела меня сломать...

— Денис, пошли отсюда! Напьемся, а?

— С дорогой душой... А ты разве на банкет не останешься?

— Нет уж, пить надо в укромном месте. Поехали ко мне.

Они спустились в вестибюль.

— Стас, погоди, я в туалет на минутку.

— Я пойду к машине!

— Годится!

Стас по-прежнему держал в руках букет, папку и статуэтку. Он сгрузил все это на кожаный диванчик в гардеробе, чтобы достать ключи от машины.

— Станислав Ильич! Поздравляю Вас!

Он заскрипел зубами. К нему почти бежала Даша Деникина, за нею с презрительным видом шел Максим Шевелев.

— Ой, Станислав Ильич, я так за вас рада! Можно я вас поцелую?

И, не дожидаясь разрешения, Даша поднялась на цыпочках и чмокнула его в подбородок.

— Стас, прими мои поздравления, — подоспел Максим. — А что это ты смываешься? Или тебя этот отстойный романсик достал? Она вообще очень провинциальная, твоя Варежка, такое безвкусное блядство...

Стас уже замахнулся, но кто-то сзади схватил его за руку.

— Какого черта? — зарычал Стас.

— Уймись!

Стас узнал отца. Тот стоял рядом с милой молодой женщиной.

Максим с Дашей уже ретировались.

— Поздравляю, сын! Ты, как всегда, молодец и добрый мо́лодец. Чуть не сокрушил какого-то парня... Ну, привет! Может, обнимемся?

Стас помедлил мгновение и обнял отца. Тот похлопал его по спине.

— Вот, познакомьтесь... Машенька, это мой сын...

Женщина улыбнулась и протянула Стасу руку:

— Кто ж не знает твоего сына? Примите мои поздравления, Стас!

Он взял с диванчика букет и протянул его Маше.

— Спасибо! Я рада... Приезжайте к нам в гости.

— Правда, Стас, мы живем на даче.

— Знаю.

Тут подошел Денис.

— О, Илья Геннадьевич!

— Дениска, ты? Рад видеть! Ишь какой стал! Маша, это школьный друг Стаса, Денис Воробьев. Знала бы ты, что эта парочка вытворяла в школе... Такое хулиганье было! Один раз, классе в седьмом, что ли, они в знак протеста против учительницы физики намазали ей стул клеем.

— Это была учительница химии, — со смехом поправил отца Стас.

— Жуткая вредина и подлюка! — припомнил Денис.

— Вас из школы не выгнали? — полюбопытствовала Маша.

— Чуть было не выгнали, но чего мне это стоило... — возвел глаза к небу Илья Геннадьевич.

— Вы тогда классно меня тоже отмазали, — сказал Денис, — а то мама бы не пережила... Мне и так досталось будьте-нате...

— Вот что, ребята, есть у меня подозрение, что вы собирались вдвоем обмыть этого истукана, — Илья Геннадьевич кивнул на статуэтку. — Это нехорошо, посему предлагаю сейчас всем вместе закатиться в какой-нибудь ресторанчик и отметить событие. Машуня, ты не против?

— Я за! — искренне воскликнула Маша. — Тем более вам есть что вспомнить, а мне интересно послушать! Заодно отметим и наше со Стасом знакомство!

Она милая, я, кажется, понимаю отца... А он все понял и боится, что я сейчас напьюсь как свинья... Ну что ж, я даже рад... Он все-таки мне отец и я его люблю...

— Я согласен. Денька, а ты?

— И я!

— Надюха, пошли к Варежке, я должен ее обнять! — торопил жену Семен Романович. — Ах, какая девка... Кто бы мог подумать!

— Сенечка, только я тебя прошу, не называй ее Варежкой.

— Это еще почему? — возмутился Шилевич.

— Ее так называет Стас, ей может быть больно.

— При чем тут Стас? Это я придумал звать ее Варежкой! А насчет Стаса я ее сто раз предупреждал!

— Сеня, ты не понял? Это она ему пела, звала, а он сбежал...

— Ох, да ну вас, баб, с вашими штуками... ладно, идем скорее!

А Варя принимала поздравления. Их было куда больше, чем у лауреатов. Но вдруг ее дернула за платье Катя Вершинина, рядом с которой топтался высокий, с проседью мужчина, которого никто не знал.

— Варька, вот, познакомься, это Никколо Бертольди!

— О! — удивилась Варя.

— Мисс Лакшина, — заговорил он по-английски, — я прилетел, чтобы познакомиться с вами лично, и вот попал на это... мероприятие... я впечатлен... Я, можно сказать, потрясен вашим пением, это была бомба! Я и раньше был в восторге от вас, я видел «Марту», и вообще мне много о вас говорили...

— Кто?

— Мистер Пирогов. А мой брат, это он купил «Марту» для показа на нашем канале, посоветовал мне пригласить вас в мой фильм..

Я был в восторге, но сейчас мой восторг достиг уже невероятных высот... И я счастлив, безмерно счастлив, что вы согласились у меня сниматься... Я вполне понимаю, что вам сейчас не до меня, но завтра мы встретимся и все подробно обсудим. У вас есть такая возможность?

— Да, днем...

— Вот и отлично.

— Варежка! — загремел Семен Романович. — Дай тебя обнять, чертова кукла! Сокровище мое! — Он бесцеремонно оттеснил итальянского режиссера, который, впрочем, тут же оказался в объятиях Пирогова.

— Варюшка, ты была неподражаема, — обняла Варю Надежда Михайловна.

— Ой, тетя Надя, я так соскучилась...

— А Стас просто сбежал, — шепнула ей Надежда Михайловна.

— Ну, он не первый раз от меня сбегает... — усмехнулась Варя.

— Знаешь, это был с твоей стороны настоящий тсракт...

— Почему? — засмеялась довольная Варя.

— Метила в одного, а пострадавших чуть ли не ползáла...

— Варвара, позвольте вас поздравить... — К ней пробился Пирогов, крепко держа за руку бледную от злости Марьяну.

— Почему все меня поздравляют? Я ведь премии не получила... — засмеялась Варя.

— Вы еще получите все премии, какие есть... Почему вы до сих пор не записали альбом? Мы же говорили об этом...

— Ну, Иван Константинович, я не тороплюсь... Привет, Марьяша!

— Привет, — сквозь зубы процедила та и взглянула на сестру с такой ненавистью, что Варе стало не по себе.

— Анюта! Анюта! — вбежала в кухню Марина Георгиевна.

— Что стряслось, Мариша?

— Стас получил премию!

— Да? Поздравляю! Он звонил?

— Да! Сказал, что никак не ожидал... Послушай, Аня, давай попробуем в Интернете найти эту церемонию, вдруг увидим...

— Конечно, сейчас, я и сама собиралась посмотреть, там же Варька ведущая... Скажу Никитке, пусть поищет.

— Может, они на радостях помирятся, а?

— Хотелось бы, Мариша.

Никита и в самом деле нашел в Интернете подробную запись, скачал на диск, чтобы пожилые дамы могли посмотреть все на большом экране.

— Мама там такая красивая... Но она только первое отделение ведет, а приз вашему Стасу дают во втором, и еще мама там поет!

— Спасибо, Никитушка! — обняла мальчика Марина Георгиевна.

Ему очень нравилось это «Никитушка» и сама Марина Георгиевна тоже. Она столько интересного знала, так занятно рассказывала всякие истории...

Обе дамы буквально впились в экран.

— Какая красивая пара! — воскликнула Анна Никитична, когда появились Варя и Дима. — А платье какое... Вот не думала, что Варьке пойдет этот цвет...

— Как она органично держится, а ведь раньше ей не приходилось вести что-то подобное, — подхватила Марина Георгиевна, задетая словом «пара» по отношению к Варе и Диме.

— Знаешь, Мариша, я вообще не понимаю, как она здесь жила... — задумчиво проговорила Анна Никитична. — Вероятно, мучилась несказанно...

— Я думала об этом, и знаешь, что надумала?

— Ну?

— Мне кажется, она в какой-то момент сказала себе — не вышло у меня с актерством, так я тут буду играть, вот сейчас у меня роль образцовой немецкой служащей... Роль в длиннющем сериале...

Анна Никитична озадаченно посмотрела на подругу.

— Может, ты и права... А я, дура, когда она встретилась с Шилевичем, еще надеялась, что из этого ничего не получится... Я же не знала, что она такая талантливая. А вот скажи, ты сразу поняла, что Стас талантлив?

— Знаешь, Анюта, я другая, и сын у меня всего один, мне всегда казалось, что он самый лучший, самый талантливый, у меня и сомнений никогда не было... — смущенно улыбнулась Марина Георгиевна.

Когда началось второе отделение, женщины впились в экран.

— Знаешь, если бы я не знала заранее, что он получит премию, я бы сейчас умерла от волнения...

— Да, я бы тоже волновалась за Стаса... Ох, до чего он элегантный!

— Да! Он обожает дорогие вещи, сам себе все покупает. У него вообще очень хороший вкус!

Но вот объявили Варин номер. Анна Никитична напряглась.

Когда Варя закончила и раздался гром аплодисментов, дамы переглянулись в некотором ошалении.

— Что это было, Мариш?

— Это было гениально, Анечка! И еще — это взорвалась очень мощная секс-бомба!

— Я даже не могла вообразить, что моя дочь способна на такое... Откуда этот голос? С ума сойти! Но знаешь, мне показалось, она пела для Стаса...

— Да, но назло ему...

— Может быть... А давай еще разок послушаем?

— Давай!

— Алло! Это Денис?

— Нет, это Вениамин!

— Простите, а Дениса нет?

— Он сейчас занят. Может быть, ему что-то передать?

— Нет, я позвоню ему на мобильный.

Вениамин узнал голос Марьяны Пироговой. У него была отличная память на голоса. Интересно, что ей еще понадобилось?

— Денис?

— Да, мадам. Слушаю вас.

— Вы сейчас следите за Лакшиной?

— Нет. Лакшина улетела в Италию. У нас возможности лететь за ней не было.

— Хорошо, хорошо! Я вообще прошу вас прекратить слежку.

— Вообще?

— Да. Спасибо, я все узнала, что хотела, и дальше это не имеет смысла.

— Отлично!

— Я вам что-то должна?

— Нет-нет, мы в расчете.

— В таком случае всего наилучшего.

Сразу после Марьяны Денису позвонил Вениамин.

— Шеф, привет! Тебя искала эта лярва...

— Нашла уже!

— Что хотела?

— Прекратить слежку! Слава богу, гора с плеч! Еду в офис, буду минут через десять.

— Шеф, мне это не нравится! — встретил его Вениамин.

— Что тебе не нравится?

— Почему она вдруг прекратила слежку?

— Надоело ей, видать, впустую такие бабки тратить!

— А я так не думаю... Я тут кое-что сопоставил...

— Что именно?

— Ты ведь слинял с той тусовки еще до конца, верно?

— А ты почем знаешь?

— А я там тоже был. И, в отличие от тебя, не просто млел от несравненной Варечки, а работал.

— Я тебя не видел.

— А кого ты там вообще видел? У тебя глаза, по-моему, вообще в штаны спрятались.

— В какие штаны?

— В свои. Надо было приглядывать за дружком, чтоб наружу не вырвался.

— Ты охренел?

— Я нет, хотя она пела совершенно охренительно. Я, конечно, все оценил, но еще и заметил, как наша работодательница себя вела. Муженек ее тоже здорово воспламенился, а она просто озверела. В какой-то момент выхватила телефон и помчалась в сортир, звонить. И звонок, я тебя скажу, был ну очень подозрительный.

— А ты что же, в бабский сортир просочился?

— Зачем? Все учтено могучим ураганом моей ясной детективной мысли, подчеркиваю — ясной, в отличие от тебя. Так вот, наша лярва позвонила какой-то Вальке и сказала буквально следующее...

— Погоди, откуда ты знаешь, если ты там не был?

— Там была моя девушка! Я сказал ей, что расследую тяжкое преступление и попросил подслушать. Та с дорогой душой, это ж так романтично!

— Ну, ты даешь! Так что она сказала?

— «Валечка, ты помнишь, чем мне обязана? Так вот, если ты сделаешь то, что я тебе скажу, ты мне ничего не будешь должна!» Та, видать, спросила, что нужно делать, а наша лярва ответила: «Это не телефонный разговор». Я еще подумал: если это связано с Лакшиной, она снимет слежку. И как в воду глядел!

— Да, дела... Думаешь, она что-то против Вари затеяла?

— Уверен!

— И что ты предлагаешь? Последить за Пироговой?

— Нет. Последить по-прежнему за Варей. Мы ж не хотим, чтобы она пострадала, да?

— Ясное дело, не хотим. Ведь эта неведомая Валечка может любую пакость устроить... Или даже убить... Да мало ли...

— В том-то и дело! И понимаешь, Денис, ее так колотило от бешенства, что она будет действовать спешно, ей нужно немедленно... Она к тому же такая дура, что свою месть остужать не будет...

— Прав, прав! Слушай, а может, преподнести все это ее мужу, а?

— Пока нельзя, он нам может, не поверить... А вот когда заловим, тогда уж преподнесем во всей красе.

— Вень, а ты, помнится, говорил, что знаешь какую-то тетку, которая раньше у них работала...

— Точно!

— Ты ее найти сможешь?

— Запросто! Она такой зуб на бывшую хозяйку имеет... Может, знает, кто такая Валечка?

— Вот-вот, и я о том же... Не теряй время, звони...

Но тут к Денису пришел новый клиент, а Вениамин взялся за телефон. Через полчаса он выяснил, что Валечка — школьная подружка Марьяны, совершенно спившаяся особа, которую Пирогов не велел пускать в дом. Но ни фамилии, ни адреса бывшая кухарка не знала.

— Облом! — констатировал Вениамин.

— Не скажи... Если фифа вроде Пироговой, вся такая из себя гламурненькая, продолжает поддерживать отношения с подобной особой и даже ссужать ей бабки... значит, та, скорее всего, выполняет какие-то поручения, весьма, надо полагать, неблаговидные.

— Верно мыслишь...

— Может, это именно она все пакости Варе устраивала? Дверь сожгла, шмотки попортила...

— Это когда было?

— Еще до истории с белочкой, мне Симбирцев говорил... И мы оба решили, что действовала баба...

— Ну, это не обязательно... Ведь она установила слежку позже, а зачем пакостить сестре, еще не зная, виновата ли она...

— Так после слежки выходит, что не виновата.

— Ну, видать, она закусила удила, особенно после той вечерухи... Ох, вы кони, кони-звери...

— Не пой, красавица, при мне... Я этого не перевариваю.

— Ладно, не буду, шеф! А кстати, что за новый клиент?

— Очередной рогатый муж. Но его наши расценки не устроили.

— Ничего, мы зато с Пироговой хорошо поимели...

— Это правда, но...

Однако детективам не удалось обнаружить след Марьяны Пироговой. И лишь связавшись по телефону с одной из ее гламурных подруг и наплетя с три короба, Вениамин выяснил, что она в тот же день, когда отказалась от слежки, улетела на Лазурный берег.

— Ясно, алиби создает...

Варя вернулась из Италии очень довольная. Она подписала контракт, который на ближайшие два месяца делал ее жизнь совершенно сумасшедшей, но этого она и хотела. В театре пошли ей навстречу и назначили спектакли на выходные дни, когда она прилетала из Италии. Премьера «Пигмалиона» имела огромный зрительский успех, билеты расхватали на месяцы вперед, но критика отнеслась к спектаклю более чем прохладно, попросту его не заметила. Но поскольку зрители ломились, то никто особенно на расстраивался. Маковский сказал Варе:

— Варвара Леонидовна, голубушка, не обращайте внимания! Вот если б вы с Дмитрием Александровичем бегали по сцене с голым задом или фонетические уроки профессора Хиггинса были матерными, это считалось бы вполне прогрессивным и заслуживающим внимания...

— Боюсь, что и это не привлекло бы внимания высоколобых критиков, вот если бы с голым задом выходила миссис Пирс, это сочли бы новацией.

Маковский фыркнул и молча поцеловал Варе ручку.

— Да плюнь ты, Варька, — говорил Дима, — ты что, ждала восторженных рецензий? Зря. Зритель для артиста куда более важный рецензент! Просто «Шмель» вызвал бурю эмоций, но это Филипп, им восхищаться считается хорошим тоном. Вот увидишь, через два-три месяца обязательно кто-нибудь напишет, что спектакль превосходный, восхищает именно своей традиционностью и т.д. и т.п. Почему глаза-то грустные? Из-за невнимания критики?

— Нет, что ты...

— А, я понял... Стас так и не приполз?

— Не приполз, — еле слышно сказала Варя.

— Значит, он просто ревнивый болван, и черт с ним.

— Да, конечно, черт с ним... Просто это надо пережить... Я переживу, обещаю тебе.

— А в Италии никто на тебя еще не запал?

— Мне не до того было...

Варя летела из Рима в Москву. Самолет задерживался на три часа по метеоусловиям, она прилетела только глубокой ночью. Ее сразу же атаковали таксисты. Но вдруг из толпы встречающих вышел мужчина.

— Варвара?

Его лицо показалось ей знакомым.

— Не узнаете меня? Я Денис Воробьев, частный детектив!

— О, мой спаситель! — обрадовалась Варя. — Вы кого-то встречаете?

— Нет, я был тут... по работе. Вас не встречают? Я вас отвезу!

— Да? Спасибо огромное! Я забыла заказать такси, а к первому попавшемуся как-то боязно садиться.

— Давайте ваш чемодан.

— Спасибо, Денис!

Денис и сам не знал, почему он себя обнаружил. Просто увидел ее растерянный взгляд, усталую неуверенную улыбку и бросился на амбразуру. Веньке ничего не скажу, задразнит на фиг. Он усадил Варвару в машину и с наслаждением подумал — полтора часа мои!

— Вы отдыхали в Италии? — полюбопытствовал он, хотя прекрасно знал, что она там делает. Но как завязать разговор?

— Нет, я там в кино снимаюсь.

— В итальянском?

— Ну да.

— А в остальном как? Оставили вас в покое?

— Вроде да, колеса больше не портили.

— А я, Варвара, теперь ваш поклонник!

— Неужели?

— Да. Очень мне нравится, как вы играете, а особенно поете...

— «Песни шмеля» видели?

— Видел, но мне эти песни не очень... Я такое не понимаю... Но я был на той тусовке, где вы «Кони-звери» пели. Это отпад!

— А что вы там делали? Следили за кем-то?

— Нет, меня друг пригласил... Стас... Я же вам говорил, мы с ним друзья... школьные еще...

— Да?

Черт, за каким хреном я заговорил про Стаса?

— А мы с ним пытались помириться, — вдруг заговорила Варя, — но ничего не вышло... Он тяжелый человек. И я, конечно, не подарок... Так бывает, Денис... Вроде бы любовь, а ничего не выходит...

— А вы в курсе, что на него в суд подали?

— Нет. За что?

— За драку! Он Шевелеву морду набил... И такое поднялось... Ужас просто...

— Денис, ради бога, что стряслось?

— Да ничего особенного, обычный мордобой! Есть свидетели, многие на стороне Стаса, а многие наоборот. Но, видно, у этого Шевелева рука где-то, словом, вонь такая поднялась... Такие пакости про Стаса пишут...

— Господи, бедный... Как вы думаете, его посадят?

— Да ну... Еще не хватало... Ему Илья Геннадьевич самого лучшего адвоката нанял... Только он пьет по-черному.

— Когда это случилось? Мне никто не говорил. Я в Интернет не заглядывала...

— И не надо, только дерьма нахлебаетесь... Ничего, такое уж бывало, правда, грязи столько не лили, но пройдет и это... не расстраивайтесь... У Стаса характер... не приведи Бог.

— Мне надо к нему... Может, я поддержу его. Может, я ему нужна...

— Вы извините меня, Варвара, но сейчас ему никто не нужен... он в таком состоянии... Шевелев всюду интервью дает... Такой гад...

— Я знаю...

— Вообще-то Стас любит подраться... Но уж очень в этот раз за него взялись. Как будто хотят посчитаться с ним за все его успехи.

— Бедный мой... — прошептала Варя, — он такой ранимый... — И она заплакала.

Сердце несчастного детектива зашлось от жалости и ревности.

— Не плачьте, Варвара, как-нибудь все обойдется...

— Вот с Галкиным же не обошлось... Затравили его... Денис, а где он сейчас, вы знаете? Дома?

— Вроде был у отца на даче, там прячется. Да еще один сволочной режиссер отказался его снимать...

— Боже мой!

— Варвара, мы подъезжаем.

— Денис, вы можете завтра отвезти меня к нему? Вы знаете, где эта дача?

— Ну, в принципе...

— Спасибо, спасибо вам огромное. Вон к тем воротам. Я вам так благодарна... У меня просто нет слов, — и она поцеловала его в щеку.

Он чуть с ума не сошел от гордости. И вдруг вздрогнул. У ворот маячила какая-то фигура. Он вгляделся. Это была женщина в длинном плаще с капюшоном. Он глянул на часы. Половина четвертого. Женщина отошла в тень.

— Спасибо огромное, Денис, я пойду, уже с ног валюсь...

— Я провожу вас.

— Да не стоит... Я сама...

— Тихо! — гаркнул вдруг он.

Варя взглянула на него с недоумением.

— Значит, так, вы сидите в машине, я достану чемодан. Видите, там женщина стоит?

— Ну и что?

— Мне это не нравится!

— Денис, кому я тут нужна среди ночи? У вас уже профессиональные завихрения... — слабо улыбнулась она, но, увидев его лицо, вдруг осеклась...

Денис вылез из машины, достал из багажника чемодан, открыл дверцу, подал Варе руку и шепнул:

— Чемодан везите сами, у меня руки должны быть свободны...

— Хорошо, — испуганно пробормотала Варя.

Денис шел слева от Вари, загораживая ее собой. Женщина стремительно вышла из тени, вытащила что-то из кармана и метнулась к Варе, но Денис мгновенным движением подскочил и заломил ей руку. Женщина не стала вырываться, она сразу обмякла и забормотала:

— Слава богу, слава богу...

Варя замерла в оторопи.

— Что это значит, Денис?

— Минутку! Возвращайтесь в машину! — скомандовал он.

Варя не тронулась с места, а женщина рыдала:

— Слава богу, слава богу!

— Валентина? — спросил Денис.

— Откуда ты меня знаешь?

— Неважно! Что это у тебя? Пузырек? А в пузырьке что?

— Кислота, серная...

— Блин горелый!

— Я не хотела... Она заставила... Я не хотела...

— Значит, так! У тебя есть две возможности, выбирай. Либо мы сейчас едем в ментуру и ты идешь на зону за попытку покушения, либо ты сейчас наговариваешь на диктофон свои показания и я отпускаю тебя на все четыре стороны.

— Да-да, конечно, я дам показания... Черт с ней, не могу я так... Ужас какой!

— Денис, я ничего не понимаю... — пролепетала Варя.

— Это ваша сестрица подослала ее плеснуть вам в лицо серной кислотой...

— Но это ерунда... Зачем... Я не верю...

— Ну и зря не веришь! — выкрикнула вдруг Валентина. — Ненавидит она тебя... Она паскуда та еще... Шантажировала меня... Запугала до смерти, вот я и...

— Все правда, Варвара, — сказал Денис.

Варя вдруг поверила, и ее затрясло от ужаса. Денис усадил ее на переднее сиденье, а сам с Валей сел сзади, вытащил диктофон, и та в течение пятнадцати минут рассказывала все как было. Варя не верила своим ушам. Нельзя только, чтобы об этом узнала мама...

— И ты правда меня отпустишь? — спросила Валентина.

— Можешь не сомневаться. Эту запись я отдам ее мужу, и мало ей не покажется. А затевать публичный скандал нам ведь ни к чему, правда, Варя?

— Да уж...

— Все. Катись, Валентина. И постарайся впредь жить так, чтобы тебе не давали таких поручений...

— Тебя как звать? Денис? Я сейчас пойду в храм и поставлю за тебя свечку...

— А можно мне один вопрос? — едва слышно проговорила Варя.

— Конечно.

— Откуда вы узнали, что я прилетаю сегодня, что самолет опоздает?

— От нее... Она мне эсэмэс присылала.

— Ты их стерла? — быстро спросил Денис.

— Нет еще...

— Тогда отдай мне телефон, я завтра его тебе верну.

— Забирай его к чертям собачьим... Не хочу, чтобы она меня нашла...

Варя достала из сумки деньги.

— Вот, пожалуйста, возьмите, купите себе новый телефон с новым номером.

— Ну ты даешь... — зарыдала вдруг Валентина.

— Мне кажется, вы бы не смогли... плеснуть кислотой...

— Не знаю... врать не буду... Взялась же я все-таки... Не думай обо мне лучше, чем я заслуживаю, но я от всего сердца рада, что меня остановили... Такое мое последнее слово.

Она вылезла из машины и медленно побрела прочь.

— Денис, я обязана вам жизнью...

— Да ладно...

— А что вы будете делать с этой записью?

— Покажу Пирогову, если сумею к нему пробиться, пусть уймет свою женушку.

— Но как вы догадались, что эта Валя мне чем-то опасна?

— Это долгая история, Варвара, а вам надо отдыхать...

— Денис, у меня сна ни в одном глазу, меня всю трясет, я боюсь одна войти в квартиру, пойдемте со мной, пожалуйста! Вы, вероятно, голодны, я вас чем-то покормлю, и вы мне все расскажете, ладно?

— Желание дамы — закон!

Сонный охранник не без любопытства взглянул на спутника Вари.

— Как у вас красиво! — воскликнул Денис.

— Да... Вы садитесь, Денис... Хотите выпить?

— Хочу! И вам советую!

— Да... Я тоже выпью. А есть будете?

— Нет, спасибо, аппетит отшибло.

— Тогда пейте коньяк и рассказывайте...

— Что рассказывать?

— Как вы догадались, что эта женщина опасна?

— Варя, я ведь не случайно оказался в аэропорту и тогда у Склифа... Я следил за вами... По поручению вашей сестрички...

— Но зачем ей это? И что я такого сделала, чтоб ей понадобилось изуродовать или даже убить меня?

— Мой напарник в таких случаях говорит — загадка сфинкса... И еще он знаете, что говорит? Что слежка за вами вернула ему веру в женщин!

— Но я ничего не замечала...

— Ну, мы же все-таки профи.

— А что же теперь? Марьяна ведь может не остановиться... Она, наверное, больна...

— У вас есть доступ к Пирогову?

— Да, конечно.

— Тогда звоните ему немедленно, пока вам не стало жалко сестру... Вы ведь такая... Вам всех жалко... А у этой гадюки надо вырвать жало...

— Знаете, мама когда-то рассказывала, что в ее совсем раннем детстве был китайский фильм, который назывался «Отрубим лапы дьяволу», — слабо улыбнулась Варя.

— При чем тут это? — не понял Денис. — Звоните, дело не терпит.

— Но сейчас только начало шестого!

— Ничего, проснется! Не надо было жениться на такой твари.

— Денис, а как вы считаете, Пирогов может помочь Стасу?

Такого вопроса Денис никак не ожидал. Но поскольку жаждал торжества справедливости по отношению к Марьяне, то уверенно ответил:

— Думаю, сможет. Он достаточно могущественный мужик.

И она решилась.

— Варя? — сразу отозвался Пирогов.

— Иван Константинович, я вас разбудила?

— Нет, я только что прилетел из Лондона. Но если вы звоните мне в такой час, значит, что-то случилось?

— Иван Константинович, вы можете уделить мне час времени?

— Варечка, я хотел бы уделить вам всю свою жизнь!

— Господи помилуй! — вырвалось у Вари, и она поняла, за что ее возненавидела сестра. Если он такое ляпнул при Марьяне... И Варя всхлипнула.

— Варя, простите, что случилось? Я просто глупо пошутил... Да говорите же, в чем дело? Что-то с Анютой?

— Нет... Но...

Денис отобрал у Вари трубку.

— Господин Пирогов, говорит частный детектив Денис Воробьев. Варвара Леонидовна в шоке... На нее было совершено покушение, инспирированное вашей женой...

— Что? Вы с ума сошли, молодой человек?

— Нисколько. У меня есть признательные показания некой Валентины Ткачик...

— Стоп! Где вы находитесь?

— У Варвары дома.

— Я буду через час! Ждите!

— Через час приедет. Варя, вам плохо?

— Нет, ничего... Я... Хотите кофе?

— Хочу! Но сварю сам, вы сидите. Только скажите, где у вас кофе и турка.

Пока Денис возился у плиты, Варя уснула. Она совсем обессилела. Пускай поспит, решил Денис. Все равно скоро примчится Пирогов...

Она сейчас совсем некрасивая, бледная, измученная, темные круги под глазами, жалко ее, сил нет... Она еще в шоке, до нее еще не дошло, что было бы, если б Валентина все же решилась плеснуть в нее кислотой... Денис содрогнулся. Это ж надо придумать... Это еще хуже, чем убить...

В дверь позвонили. Видно, охрана знает Пирогова. Денис на цыпочках подошел к двери. Варя не шелохнулась.

— Молодой человек...

— Тсс! — Денис поднес палец к губам. — Она уснула. Я вам все объясню, пускай поспит...

— Хорошо. Пойдемте в другую комнату. Итак, в чем дело?

— В том, что несколько месяцев назад ваша супруга явилась ко мне в агентство и поручила установить слежку за артисткой Лакшиной.

— Что за бред? Зачем?

— Этого она мне не сообщила. Она даже не стала подписывать со мной договор, заплатила вперед, и хорошо заплатила, требуя полной анонимности. Сами понимаете, отказывать ей мне резона не было. Но она приехала на своей машине, и выяснить, кто она такая не составляло труда.

— Идиотка!

— Мы следили за Варварой и регулярно отчитывались перед вашей супругой, однако она была недовольна, поскольку никаких результатов не было...

— Каких, черт побери, результатов она хотела?

— Установить факт прелюбодеяния!

— С кем?

— Теперь осмелюсь предположить, что с вами.

— Ну и как, установили? — насмешливо спросил Пирогов, которого уже трясло от бешенства.

— Разумеется, нет.

— Вообще ни с кем?

— Ни с кем, кроме ее гражданского мужа, Стаса Симбирцева, что привело вашу супругу в крайнее раздражение.

— И за это она организовала покушение на Варвару? Что-то концы с концами не сходятся, молодой человек. Моя жена, конечно, дура, но не настолько...

— Простите, Иван Константинович, но я еще не договорил. А впрочем, я сперва дам вам послушать показания Валентины Ткачик. Вам все станет ясно.

— Хорошо.

Денис включил запись.

«Я, Ткачик Валентина Егоровна, признаюсь в том, что моя подруга Марьяна Валерьевна Пирогова шантажом вынудила меня совершить преступление. Но Господь не попустил. Я должна была Марьяне пять тысяч евро, и она сказала, если я это сделаю, она забудет о долге... Эти деньги я брала у нее... чтобы дать взятку следователю, который вел дело одного человека... Это к делу не относится, правда? Одним словом, следователь дело прекратил. Марьяна об этом знала. И когда принесла мне пузырек с серной кислотой...»

Пирогов смертельно побледнел.

«...сказала, что если я этого не сделаю, она не только потребует с меня деньги, но и расскажет в милиции о взятке, и тогда всем мало не покажется... Что мне было делать? Я согласилась. Она сама улетела за границу и оттуда сообщила, когда прилетает Варвара Лакшина и что это лучше всего сделать ночью у ворот ее дома... Но Господь не попустил... Простите меня, люди добрые...»

Пирогов сидел и ломал пальцы. Молча.

— Вам все ясно?

— Еще нет. Как вам удалось это предотвратить?

— Мы с напарником поврозь были на тусовке по случаю вручения премий. После того как Варвара спела, ваша супруга позвонила Ткачик, это слышал мой напарник... А буквально на следующий день Марьяна Валерьевна позвонила мне и велела снять слежку. Мы с напарником решили, что это очень подозрительно, и продолжили слежку за Варварой. Я встретил ее в аэропорту, а поскольку мы были немного знакомы, я предложил подвезти ее до дому, а тут увидел женщину, в половине четвертого ночи топтавшуюся у ворот. Мне это показалось подозрительным. Ну и вот...

— И где эта баба?

— Я получил от нее показания и отпустил. Вряд ли вам нужен публичный скандал... А вот, кстати, ее мобильник, здесь есть эсэмэски от вашей супруги. Вот, полюбуйтесь!

— Господи, где были мои глаза, где были мои мозги! — схватился за голову Пирогов.

— Известно где, — усмехнулся Денис.

Тут в дверях появилась Варя, бледная как полотно.

— Иван Константинович, простите, я уснула...

Пирогов вскочил и обнял Варю. Она зарыдала.

— Сядьте, Варечка, все уже позади, все хорошо. Больше вам никто вреда не причинит... А кстати, молодой человек, вы не в курсе, это не моя жена подожгла дверь и все прочее?

— Да нет, не думаю... А впрочем, спросите у нее...

— Да уж спрошу, не сомневайтесь!

— Иван Константинович, а что вы с ней сделаете? — испуганно спросила Варя. — Вы ее закатаете в асфальт?

Несмотря на драматизм сцены, Пирогов рассмеялся.

— Варя, ну я же не крестный отец мафии! Вы явно насмотрелись фильмов... Нет, я просто разведусь с ней и отберу дочь. Такая женщина не может воспитывать ребенка. Я дам ей достаточно средств на безбедную жизнь и лишу возможности приезжать в Россию. Думаю, этого хватит.

— Но тогда она еще больше озлобится и будет во всем винить меня...

— А чего вы хотите?

— Я не знаю, я ничего не хочу... Хотя нет, у меня есть к вам одна просьба, я умоляю вас, помогите, Иван Константинович! Ради всего святого!

— Да о чем речь, все, что в моих силах...

— Иван Константинович, спасите Стаса!

— Ничего не понимаю, при чем тут Стас?

— Тут он ни при чем... Это другое... — зарыдала опять Варя. — Они его сожрут, погубят... Он такой ранимый...

— Да что с ним такое?

— Варя, я объясню, — сказал Денис и быстро ввел Пирогова в курс дела.

— Я ничего не знал... Странно, почему ж его отец ко мне не обратился... А кто этот Шевелев? Актер? Думаю, мне не составит большого труда уговорить его забрать заявление. Не плачьте, Варечка, не будет никакого суда, обещаю вам! Я сейчас же этим займусь. И вот еще что, Варенька, мне кажется... Анне Никитичне не стоит говорить про Марьяну.

— Конечно, нет! Ни в коем случае!

— А вам сейчас надо отдохнуть, прийти в себя. У вас есть такая возможность?

— Не очень... У меня сегодня спектакль.

— Ну, может, это и лучше, не сможете растечься от жалости к себе.

— Да, вы правы...

— Но сейчас еще очень рано, попробуйте уснуть.

— Иван Константинович, вы правда думаете, что удастся избежать суда? Поймите, я просто уверена, что Стас ударил его за дело, этот Шевелев такой мелкий, злобный тип...

— Тем лучше, Варечка! — улыбнулся Пирогов. — Я найду на него управу.

— Спасибо.

— Я сейчас поеду. И буду держать вас в курсе дела. Для начала, думаю, надо связаться с отцом Стаса.

— Да, Денис говорит, что он нашел очень сильного адвоката...

— Именно для этого мне и нужен Илья Геннадьевич. Вдвоем с хорошим адвокатом мы уймем Шевелева. Ну, Денис, полагаю, нам надо оставить Варю в покое.

— Да, конечно.

Они ушли. А Варю начало трясти, как в лихорадке — дрожали руки, стучали зубы, она обливалась потом. Надо принять горячий душ, может, полегчает... Но не полегчало. Подняться наверх, в спальню, не было сил. Она свернулась калачиком на диване, укрылась пледом. Господи, как страшно... Если бы не Денис... Даже думать о том, что могло бы быть, было страшно до ужаса... Ей вдруг пришло в голову, что необходимо кому-то еще рассказать об этом, казалось, часть этого груза тогда свалится с нее... Она посмотрела на часы. Начало девятого. Катя! Ей можно позвонить, она рано встает.

— Варька? Приехала! — звонким голосом отозвалась Катя.

— Кать, ты очень занята?

— Варька, что у тебя с голосом? Ты из-за Стаса, да? Гнусная история...

— Кать, ты мне очень нужна, мне совсем плохо.

— В каком смысле?

— В прямом... Со мной такое случилось, то есть могло случиться... Ох, погоди... — Варя вдруг стала задыхаться.

— Варь, я дождусь няньки и мчусь к тебе. Она вот-вот должна прийти. О, вот и она! Еду!

Когда Катя ворвалась в квартиру, она даже вскрикнула от испуга. Варя едва держалась на ногах, у нее были синие губы, нос заострился, глаза ввалились, и ее бил озноб.

— Варька, надо «скорую» вызвать. Что с тобой? Сядь, немедленно сядь. Я вызываю «скорую»!

— Не надо! Просто поднимись ко мне в спальню, возьми в левом ящике секретера голубую баночку с таблетками. У меня нет сил подняться, а Клавдия Павловна сегодня не придет.

— Сейчас!

Катя буквально взлетела по лестнице и принесла таблетки. Налила воды и подала Варе.

— Что за таблетки?

— Успокоительные. Скоро подействует...

— Варь, что случилось?

Варя все ей рассказала. Катя слушала, открыв рот.

— Ничего себе сестричка... Ошизеть... Это ж надо придумать... Вот гадина! А у тебя с Пироговым что-то было?

— С ума сошла? Никогда!

— Но какой же молодчина этот Денис! Просто слов нет! А он как с виду?

— С виду? Нормальный... Здоровый такой мужик. Приятный. А что?

— Да я просто уверена, что он в тебя по уши влюблен!

— Кажется, да. Но мне-то это зачем?

— Может, обратишь внимание? В наше время такие поступки дорогого стоят...

— Кать, он школьный друг Стаса...

— Тьфу ты!

— Кать, ты знаешь, из-за чего они подрались?

— Из-за тебя.

— Господи, а я-то тут при чем?

— Ну, мне так говорили. Будто к Стасу здорово цеплялась эта девочка, Деникина, он на нее внимания не обращал, а Шевелев как раз за ней приударял, и когда в очередной раз обломался, то во всеуслышание заявил: «Дура ты, Дашка. Ты для него слишком хороша, у него вообще стоит только на таких шлюх, как Лакшина...» Ну и сама понимаешь, Стас ему врезал! Да как, вроде, говорят, нос сломал, ну и пошло... Думаю, Пирогов с этим справится...

— Но как?

— Да уж чего проще! Поговорит с ним, денег даст, тот, конечно, запросит немало, но Пирогов даст...

— Ох, если Стас узнает, он мне этого не простит...

— А что, ему лучше сесть в тюрьму?

— Нет, но мне он этого точно не простит.

— Ну и черт с ним! Пусть! Все равно у вас ничего не выходит. А потом, вовсе не обязательно, что он узнает о Пирогове. Думаешь, Шевелев будет на всех углах звонить, что ему Пирогов заплатил? Да никогда в жизни! Он заявит, что ему стало жаль такого талантливого артиста... Ну, или что-то в этом роде. И я не знаю, что для Стаса хуже, деньги Пирогова или жалость Макса.

Варя заплакала.

— Бедный мой...

— Да, Стасу не позавидуешь. Тебе, впрочем, тоже. Смотри-ка, успокоилась. И вид получше. Ты что-нибудь ела?

— Нет... Я не могу...

— Надо. У тебя сегодня спектакль. Я вот сейчас гляну, что твоя Клавдия тут приготовила. — Катя открыла холодильник, достала какие-то мисочки, кастрюльку. Открыла.

— Тут, кажется, овощное рагу, будешь?

Катя сунула в кастрюльку нос, взяла вилку и поднесла кусочек ко рту.

— Нет! — не своим голосом закричала Варя.

— Что ты орешь? — ошалела Катя.

— Не вздумай это есть, все надо выбросить!

— Почему?

— А вдруг Марьяна подкупила Клавдию и тут все отравлено?

— Варь, ты в своем уме? Да Клавдия твоя тебя обожает, к тому же Марьяна за границей отсиживается. Глупость какая! — И Катя отважно съела то, что было на вилке. Потом поставила кастрюльку на плиту. — Это такая вкуснотища! Ну-ка, что тут еще есть? Жареная рыбка, очень даже аппетитная. Куриные грудки...

— Кать, я тебя умоляю! Не ешь!

— Варь, не сходи с ума! Этак у тебя начнутся всякие фобии. Вот, уже десять минут прошло, а я еще жива...

— А если там яд замедленного действия?

— Черт с тобой, не ешь, а я буду! О, тут есть банка крабов. Может, съешь? Вряд ли туда напустили яду...

— Кать, я вправду есть захотела, но давай лучше поедем в какое-нибудь кафе?

— Ну, давай! — Кате до слез было жалко подругу. Но она понимала, что сейчас надо быть жесткой. — А это все ты собираешься выкинуть, да? В таком случае я это заберу. Зачем добро переводить? Мы с Лешкой три дня питаться будем.

— С Лешкой? Ты с ума сошла!

— Нет, это ты с ума сошла! Я, конечно, понимаю, тут поневоле спятишь. — И Катя принялась перекладывать еду в пластиковые баночки и коробочки, которые нашла на верхней полке кухонного шкафа. Варя молчала. И вдруг сползла на пол.

— Варь, ты что? — кинулась к ней Катя.

Варя открыла глаза.

— Все, я вызываю «скорую».

— Нет, лучше помоги мне встать! И открой крабы...

— Я слышу речь не мальчика, но мужа.

Варя ела крабов прямо из банки.

— Вкусно!

— Ты когда последний раз ела? — поинтересовалась Катя. — В самолете?

— Нет, в самолете я спала. Вчера завтракала и потом съела йогурт на съемках.

— Тогда и впрямь можно не вызывать врача. Столько переживаний на голодный желудок... Немудрено. Ладно. Поехали завтракать.

— Так я уже...

— Нет, тебе надо поесть горячего, поговорить с подругой «пррро мужиков», как выражается мой сын, а потом я сдам тебя с рук на руки Димке. Сейчас он наверняка еще спит...

Они и в самом деле поехали в уютное кафе, где их хорошо накормили.

– Кстати, я сейчас позвоню Димке, десять, уже можно.

– А если он на съемках?

– Ну, на съемках, значит, придется позвонить Надежде Михайловне. Тебя сейчас нельзя оставлять одну, а у меня еще куча дел. Алло, Дим, Вершинина.

– Привет, Катюха! Что тебе с утра неймется?

– Дим, нужна твоя помощь, но не мне...

– А кому?

– Варьке! С ней такое случилось... Словом, ее сейчас нельзя оставлять одну. Она сама тебе расскажет, мы сейчас в кафе.

– Она... жива?

– Дим, ты оглох, я ж говорю – мы в кафе. Но мне надо по делам, а одну ее оставлять нельзя. Ты сейчас свободен?

– До полпервого.

– Хорошо. Тогда я сейчас ее к тебе привезу, а дальше разберетесь.

– Это как-то связано со Стасом?

– Ни в коей мере! Все, жди! Поехали, Варь!

Варя покорно села в машину.

— Димка здорово испугался... Он любит тебя... Неужели ты с ним даже ни разу не переспала?

— Я не могу... Но у нас с ним все сложно...

— У вас с ним? Значит, что-то есть?

— Он звал меня замуж. Я отказалась. Потом сама ему сказала: женись на мне. А тогда он отказался...

— Как интересно! А почему он-то отказался? Хотя я улавливаю, он понял, что ты это назло Стасу... Бедный Димочка... Такой красивый и любит без взаимности...

— Да нет, мы просто друзья, я его обожаю...

— А я думаю, с Димкой у тебя бы сладилось... Он тебя любит, ты его нет, прекрасно бы жили... А со Стасом оба сходите с ума от любви, а толку что?

— Да нет... Я уже не схожу с ума, просто мне его безумно жалко... Особенно сейчас...

Катя весьма скептически посмотрела на подругу. Она вместе с Варей поднялась к Диме. Он открыл им с встревоженным видом.

— Варюшка! Что стряслось?

— Вот, сдала с рук на руки! Я помчалась! Да, Дим, ты после спектакля обязательно завези ее в супермаркет и проследи, чтобы она купила хоть какие-нибудь продукты, у нее в доме ни хрена нет.

— Хорошо, непременно! Но мне кто-то наконец объяснит, что случилось, черт бы вас побрал! — взорвался Дима. — Идиотки, лопочут невесть что!

— Дим, на Варьку сегодня покушались, — всхлипнула Катя.

— Что за бред, опять, что ли, Стас ее прибил?

— Дима, как ты можешь? Стас сейчас в беде, а ты!.. Нет, это моя сестричка наняла тетку, чтобы та плеснула мне в лицо кислотой... — И Варя довольно толково все ему рассказала.

Он перекрестился с испугу.

— Надо же, как тебе повезло... Ой, прямо дрожь пробирает, как представлю себе... Убить эту сучку мало! Варька, бедная моя... — Он обнял ее, погладил по голове, поцеловал в макушку.

— Ну, я вижу ты в надежных руках. Все, я помчалась! — Катя чмокнула Диму в щеку, потрепала по плечу Варю. — Держись, подруга!

Вечером Варя играла спектакль. Играла лучше, чем когда бы то ни было.

— Молодчина! Настоящая артистка! — сказал ей Дима.

— Блин? — грустно улыбнулась Варя.

— Блин! Блин! Через полчасика поедем ужинать! Я тебя одну не оставлю, не бойся!

— Ты настоящий друг!

Варя скрылась в своей гримуборной, которую делила с актрисой, игравшей миссис Пирс, Елизаветой Викторовной Шитовой.

— Ты сегодня была хороша, — встретила ее Елизавета Викторовна. — Второй план появился, здорово!

— Спасибо вам! — растрогалась Варя, и у нее потекли слезы.

— Варь, ты чего?

В дверь постучали.

— Войдите! — крикнула Шитова. — Наверняка к тебе поклонник с цветами.

В дверях стоял Иван Константинович Пирогов с букетом роскошных красных роз.

— О! Что я говорила! — воскликнула Шитова. — Красная роза — эмблема любви! Я убегаю, пока!

— Варя, я смотрел спектакль! Вы были... У меня нет слов... особенно учитывая... то, что вам сегодня пришлось пережить... Примите мои поздравления, мой восторг... Варя, я самый большой болван во вселенной, из трех женщин вашей семьи выбрал самую... недостойную, разрушил все... причинил невероятную боль вашей матери... Но теперь я получил по заслугам... Варя, я сейчас скажу вам одну вещь, только дайте мне договорить, не перебивая... Я... когда впервые увидел вас, я понял... словом, я полюбил вас так, как никого и никогда, нет, молчите ради бога! Да... полюбил, сразу, но сам себе сказал — ты не имеешь права, ты недостоин этой женщины. И... я принял эту ситуацию, как данность — я недостоин вас, но люблю... люблю смиренно, издали... и мне было хорошо... с такой любовью к вам... А Марьяна со своим звериным чутьем все поняла... Но то, что я узнал сегодня... Я просто не мог не сказать вам все это! Варя, я ни на что не претендую, только позвольте мне служить вам... Ох, простите идиота, я был так восхищен и взволнован вашей игрой, что забыл о главном — Шевелев забрал свое заявление!

— Господи, Иван Константинович, спасибо вам огромное! — закричала Варя и на радостях обняла Пирогова. — Я так вам благодарна!

В дверях появился Дима.

— Что тут происходит? — насторожился он.

Пирогов смущенно высвободился из Вариных объятий.

— Я сообщил Варваре Леонидовне, что этот пакостный Шевелев забрал заявление.

— А! Это здо́рово! Добрый вечер! Варюшка, ты готова?

— Что ж, я все сказал, Варя. Мне пора...

— Но как вам удалось так быстро все уладить? — полюбопытствовал Дима.

— Я сделал ему предложение, от которого он ну никак не смог отказаться... — усмехнулся Пирогов. — И сразу позвонил Илье, так что семья уже в курсе. Варя, если что, я всегда к вашим услугам! Дмитрий Александрович, вы, как всегда, сегодня были неподражаемы! Всего хорошего!

Пирогов ушел.

— Варь, а ведь он в тебя влюблен...

— Ну и что?

— Он хороший мужик...

— Ты что, меня с ним сватаешь?

— Дура! — рассердился вдруг Дима. — Я просто констатирую факт!

— А! Дим, как ты думаешь, если Стас узнает, что ему помог Пирогов...

— Слушай, если ты можешь думать и говорить только о Стасе, то катись ко всем чертям!

Я устал быть мокрой жилеткой для тебя! Дура набитая!

— Почему мокрой? — удивилась Варя, ничуть, впрочем, не удивившись всплеску злости.

— От твоих горючих слез, чертова кукла! Вали к своему Стасу, утирай ему пьяные сопли, а мне все это надоело хуже смерти! Нашла себе утешителя! Хватит с меня! — уже в голос орал Дима.

— Димочка, не кричи! — каким-то задушенным голосом взмолилась Варя из-за ширмы. — Только не уходи, не бросай меня одну!

— Тебя бросишь, как же! — проворчал он.

Варя вышла из-за ширмы и вдруг как подкошенная рухнула на пол. Дима не успел ее подхватить.

— Варька, что с тобой?

Она была без сознания.

Когда приехала «скорая», врач, средних лет замученная женщина, спросила:

— Сильные стрессы были?

— Да, ночью был сильнейший стресс. Скажите, доктор, это опасно?

Женщина глянула на Диму и расплылась в улыбке.

— Надо же, вы в жизни еще красивее, чем на экране... Будет жить ваша девушка. У нее, похоже, нервное переутомление, возможно, вегето-сосудистая дистония, этим многие артистки страдают, но, по-хорошему, надо бы в больницу, обследоваться...

— А без больницы никак? Она все равно сбежит, у нее завтра спектакль, а потом самолет в Рим...

— А вот наша больная и очнулась... Как вы себя чувствуете?

— Ничего, спасибо, нормально... — едва слышно прошелестела Варя.

— Вам бы следовало в больницу лечь, а то доиграетесь...

— Нет, что вы, мне же завтра...

— Ну хоть до завтрашнего вечера полежать в покое сможете?

— Да, конечно, обязательно! Вы мне какие-нибудь таблеточки выпишите, я все буду аккуратно принимать.

— Ну что с вами делать! Только подпишите отказ от госпитализации.

— Конечно, давайте, подпишу! Мне уже гораздо лучше, спасибо, доктор!

— Только вас нельзя сейчас оставлять одну. За вами есть кому присмотреть?

— Есть! — твердо ответил Дима. — Я отвезу тебя домой и останусь сколько нужно. Встать сможешь?

— Нет, Дима, я сама. Ты же кричал, что я чертова кукла, что надоела тебе хуже смерти.

— Мало ли что я кричал в запале...

Он помог ей встать, но тут откуда ни возьмись опять возник Пирогов.

— Что случилось? Мне сообщили, что Варе плохо. Врач был? Вы упали в обморок? Что сказал врач?

— Не беспокойтесь, Иван Константинович! — с едва заметной иронией произнес Дима. — Врач ничего страшного не сказал. Это просто реакция на криминальные замашки вашей супруги. Пройдет.

Пирогов побелел.

— Я предлагаю, — проглотив ком в горле, начал он, — сейчас же поехать в одно место... там замечательные специалисты по реабилитации, причем по быстрой реабилитации... все совершенно анонимно... И вам, Дмитрий Александрович, не мешало бы немного расслабиться... Друзья мои, поверьте, это наилучший выход. Там превосходно кормят, и вообще...

— Да нет, пожалуй, не стоит... — с сомнением проговорил Дима.

— Да вы гляньте, Варя совсем неживая! Всё, никакие возражения не принимаются! — вдруг совсем другим, не допускающим сопротивления тоном заявил Пирогов.

Дима и сам не мог понять, почему он вдруг подчинился...

На следующий день после обеда Варю с Димой, действительно отдохнувших и посвежевших, отвезли в Москву. По дороге Дима недоумевал:

— Черт побери, с чего это я вдруг согласился? Хотя, должен признать, чувствую себя помолодевшим. А ты?

— Что?

— Ты где витаешь, красавица? — добродушно усмехнулся Дима. — Что-то я раньше не замечал, что задумчивость — твоя подруга.

Варя улыбнулась в ответ и промолчала. Ей сейчас было над чем задуматься.

— Марина, успокойся, все в порядке, обвинение со Стаса снято, Шевелев отозвал заявление! — сообщил по телефону бывшей жене Илья Геннадьевич.

— Правда? Какое счастье! Это Фридман его уломал?

— Ну, вообще-то это заслуга Вари, она кинулась в ножки Пирогову, а тот вместе с Фридманом довершил дело.

— Пирогов? Илюша, ради бога, не говори Стасу про Пирогова! Заклинаю тебя! И про Варежку тоже!

— Да что за чепуха! Я уже ему сказал!

— О господи!

— Да в чем дело? Кстати, ты в курсе, почему они с Варей расстались? Такая хорошая девочка...

— Илюша, в том-то и дело... У Стаса навязчивая идея, что Варежка ему изменяет с Пироговым. У него это пунктик. А я так мечтала, что они опять сойдутся. Она такая порядочная, по нашим временам это редкость. Ну, а как там Сташек? Можно позвать его к телефону?

— Нет, он спит. А вообще он в ужасном состоянии. Маша врач, она приводит его в чувство, но ему необходим полноценный отдых, он совсем загнал себя... А тут еще эта травля...

— Илья, только не давай ему газет! Я вчера видела интервью с двумя его женами... это ужас!

Они его просто монстром изображают, подлые девки... только Юля отказалась.

— Юля это которая?

— Первая.

— А Варя?

— Варя же официально не была женой... но там написано, что она считает Сташека самым лучшим, несмотря на трудный характер... Бедный наш мальчик! Илюша, скажи, он домой не собирается?

— Мариша, ему у нас лучше.

— Почему это?

— Он здесь не может позволить себе распуститься так, как дома. Но если хочешь его видеть, приезжай.

Марина Георгиевна на мгновение задумалась.

— Нет, я не могу. Ты просто передай ему, что я волнуюсь, пусть хоть позвонит матери...

— Успокойся, Мариша! Главное, этот мерзавец забрал заявление.

— Слава богу!

Варя сыграла второй спектакль и улетела в Рим. К ней туда на два дня должны были приехать Анна Никитична с Никитой. А в Москве было опубликовано интервью Михаила Маковского, где, в частности, говорилось:

Из интервью

Корр.: Скажите, господин Маковский, что побудило вас, располагающего отличной труппой, пригласить на роль Элизы Дулитл Варвару Лакшину? Разве у вас в труппе нет актрисы на эту роль?

М.М.: Видите ли, Варвара Леонидовна Лакшина актриса, великолепно умеющая играть в ансамбле, что, по нашим временам, огромная редкость. Молодые актеры сейчас зачастую даже не понимают, что это такое – ансамбль в театре, и не дают себе труда задуматься над этим, да их этому уже и не учат. К тому же им некогда! А Варвару Лакшину мне порекомендовал Дмитрий Александрович Бурмистров, сам великолепно умеющий играть в ансамбле. Правда, первое время мне казалось, что я поторопился с ним согласиться, но однажды на репетиции я увидел – это именно то, что я искал! Мне давно хотелось поставить «Пигмалиона» в старых традициях репертуарного театра и теперь, когда мы сыграли уже шестнадцать спектаклей, могу без ложной скромности заявить: я доволен, спектакль получился!

Корр.: А госпожа Лакшина останется у вас в труппе?

М.М.: Я очень на это надеюсь!

— Варюшка, что-то мне не нравится твой вид, ты себя совсем не бережешь! — огорчилась Анна Никитична.

— Ничего, как-нибудь! Зато у меня столько предложений! Мамочка, я о таком и мечтать не смела!

— Знаешь, как мне стыдно...

— Стыдно, мамочка? Почему?

— Я не верила в твой талант! Мне вот Марина говорила, что всегда считала Стаса самым талантливым, а я...

— Ах, мама, это чепуха, главное, что я в глубине души всегда в себя верила... И всегда играла...

— То есть?

— Знаешь, я в какой-то момент сказала себе: Варька, тебе дали роль в длинном-предлинном сериале, где ты будешь играть роль образцовой немецкой женщины...

— Эта роль у тебя хорошо получалась, — грустно улыбнулась Анна Никитична. — А, кстати, Марина как-то мне сказала то же самое, слово в слово.

— А сейчас я по-настоящему счастлива...

— А Стас?

— Что Стас?

— Но ты же любишь его, я знаю!

— Не получается у нас, мамочка! Давай не будем говорить о нем.

— Но ты в курсе, как его травят?

— Я сделала для него все, что было в моих силах, — прошептала Варя, — но я думаю, что этим я окончательно погубила наши отношения.

— Но что ты сделала?

— Попросила Пирогова прекратить дело... И он прекратил...

Анна Никитична удивленно глянула на дочь.

— Варь, а он, Пирогов, ничего не потребовал взамен?

— Нет, мама, он в общем-то хороший человек, твой Пирогов.

— Мой! — горько усмехнулась Анна Никитична. — Он Марьянин...

Варя крепко обняла мать.

— Да что ты, Варька? Ты, никак, меня жалеешь? Ерунда все это. У меня есть ты, Никитка, что мне еще нужно в моем возрасте?

Не знаю, подумала Варя, но в одном уверена твердо — тебе совсем не нужно знать, на что способна твоя младшая дочь. Интересно, Пирогов действительно с ней расстанется? Надо же, то, чего Марьяна больше всего боялась, вполне вероятно, скоро случится, и она сама это спровоцировала... Нельзя жить выдуманными страхами, ни в коем случае нельзя! И я никогда не буду придумывать себе страшилки и не буду обращаться к гадалкам, никогда и ни за что!

— Варюшка, детка, ты мне хочешь что-то сказать?

— Нет, мамочка, я просто соскучилась. И еще — что это Никитка такой тихий? У него все в порядке?

— Он просто влюбился.

— Боже ты мой! В кого?

— В Урсулу, внучку фрау Моргнер. Она такая хорошенькая! И, кстати, хорошая добрая девочка. Обожает свою младшую сестренку, той всего полгодика, возится с ней по своей охоте, а Никитка ей помогает.

— Кто бы мог подумать, — задумчиво проговорила Варя.

— Варька, посмотри на меня! — потребовала вдруг Анна Никитична.

— Что, мама?

— Ты, часом, не беременна?

— Откуда ты знаешь? — испугалась Варя.

— Так... И кто отец?

— Стас, мама. У меня никого другого не было...

— И что?

— Откуда я знаю?

— Какой срок?

— Три месяца.

— Будешь рожать?

— Я не знаю, мама... Я так закрутилась, ничего не заметила... А тут... попала в центр реабилитации, там меня и огорошили... Нет, мамочка, я вру...

— Что ты врешь?

— Я хочу этого ребенка! Я... Это была такая любовь... другой такой не будет...

— Рожай! Рожай и все тут! Даже не сомневайся! Я во всем помогу, и Марина поможет, она мечтает о внуках. Она чудесная женщина, на нее можно положиться... — горячо заговорила Анна Никитична.

— Но, мама, я не желаю, чтобы Стас об этом знал.

— Что за чушь собачья! Ты убеждена, что это его ребенок?

— Конечно!

— Тогда он имеет право знать.

— Зачем? Это все еще больше осложнит. Мы же все равно не сможем быть вместе... Нет, я не хочу! Меня волнует только Никита.

— А ты поговори с ним. Он очень повзрослел за этот год. Стал как-то мягче, добрее. Я думала, будут сложности в связи с приездом Марины, а он посмотрел на меня и сказал: «Знаешь, бабушка, это плохо, когда женщина несчастная. Она ведь несчастная сейчас, да? Может, у нас ей станет легче». Я была поражена, а потом поняла — это Стас ему внушил. И он был так ласков и терпелив с Мариной, что она теперь души в нем не чает. Они подружились, она ему массу историй рассказывала про маленького Стаса, и Никитка, по-моему, его просто полюбил. Варька, ты чего ревешь?

— Не знаю... Просто он... он не простит, что я обратилась к Пирогову. Будет орать, что я его унизила... и что ребенок тоже от Пирогова... Не хочу я этого...

— А ребенка от него хочешь?

— Ребенка хочу! Очень хочу...

— Значит, рожай. Вырастим!

— Только умоляю, мамочка, не сообщай ничего Марине Георгиевне.

— Ладно, пока не буду. А кого ты хочешь, девочку небось?

— Да мне все равно...

— Но карьеру ты бросать не намерена?

— Конечно, нет! Что ты, мама! Буду работать до последнего, сейчас многие и на девятом месяце снимаются.

— Но рожать будешь в Германии, это мое условие. Я столько читала про ваши роддома...

— Хорошо, мамочка, как скажешь!

Вечером, укладывая сына спать, Варя попросила:

— Ники, расскажи мне про Урсулу.

— Бабушка насплетничала?

— Почему насплетничала? Просто сказала, что ты подружился со славной девочкой.

— А, — с облегчением выдохнул Никита. — Знаешь, мам, с ней интересно. Мы много разговариваем, она рассказывает мне про свою маму, я ей про тебя, ее мама пишет детские книжки, я читал, мне понравилось... Они долго жили в Болгарии, Урсулин папа был болгарин...

— Почему был?

— Они развелись, он фокусник в цирке. Когда у Урсулы родилась сестренка, он от них ушел. Знаешь, этой сестренке уже полгода, она такая смешная и милая... мне очень нравится... Ее зовут Сабина. Мы с Урсулой даже памперсы ей меняем, и мне совсем не противно. Бабушка так удивляется... И Сабинка меня уже узнает... А мальчишки в школе дразнятся, дураки!

— Конечно, дураки! А ты у меня самый лучший...

— Знаешь, я Руди Мерку дал два раза по роже, он мне, правда, тоже врезал, но все равно я победил. Мне еще давно Стас один приемчик показал... — Никита вопросительно глянул на мать.

— Это хорошо, всегда надо уметь за себя постоять. Да, Ники, я вот хотела спросить... А если бы у нас свой малыш появился?

— Какой малыш?

— Ну, твой брат или сестра...

— У тебя?

— У меня, у нас... Ты был бы рад?

— А он... оно... уже есть? — и он легонько ткнул пальцем Варе в живот.

— Есть.

— А если я, к примеру, скажу, что не буду рад, тогда что?

— Тогда... Тогда мне придется его убить.

— Как убить? — ахнул Никита.

— Ну, женщины в таком положении делают операцию, убивают ребенка...

— И за это не сажают в тюрьму?

— Нет.

— Я не хочу!

— Чего ты не хочешь? — упавшим голосом спросила Варя.

— Я не хочу, чтобы ты его убивала! Пускай будет! А ты с ним будешь в Москве жить?

— Не думаю. В Москве я работаю с утра до ночи и еще в Москве воздух плохой. Бабушка обещала мне помочь.

— И я! И я буду помогать! Я и так уже многое умею, и еще научусь, мамочка!

Никита обнял Варю, стал целовать и вдруг отстранился.

— А папа у него будет?

— Нет, Ники, папы не будет.

— А почему? Папа у него Стас?

— Стас. Но у нас не получается быть вместе.

— Он что, как тот фокусник, не захотел?

— Нет, он ничего не знает.

— А Марина?

— Какая она тебе Марина?

— Она сама сказала, чтобы я звал ее Мариной, без отчества и всяких дурацких теть. Так она знает?

— Нет. И не надо! Я не хочу!

— Ты его больше не любишь, да?

— Я не знаю, Ники, честное слово, не знаю.

— Нет, мама, все неправильно!

— Что неправильно?

— Я думаю, ты его еще любишь, но боишься, что если он узнает про маленького, то может повести себя так, что ты его разлюбишь...

Варя озадаченно глянула на сына. Как же он повзрослел и поумнел!

— Ладно, мама, ты ему не говори, раз не хочешь, а мы с Урсулой будем растить его вместе с Сабинкой. А как его будут звать?

— Так я ж еще не знаю, кто будет, мальчик или девочка, — счастливо улыбнулась Варя.

— А когда он родится?

— Летом.

— Еще так нескоро! Но ты сейчас не несчастная?

— Что ты, мой маленький, я абсолютно счастлива, потому что у меня вырос чудесный сын, и будет еще маленький, только ты не думай, что я или бабушка будем любить тебя меньше...

— Я знаю, маленьким детям надо уделять больше внимания. Мне Урсула объяснила...

— Знаешь, Илья, — сказала как-то вечером Маша, — я думала, Стасу станет легче, когда эта пакость закончится, а ему, по-моему, только хуже.

— Это я виноват, нельзя было говорить ему, что все устроил Пирогов... Но я же не знал, я был так счастлив, что этот тип забрал заявление.

— А в чем, собственно, дело?

— Оказывается, Стас сходит с ума от ревности именно к Пирогову. Бедный мой сын. Такой талантливый и такой какой-то нелепый в личной жизни... Практически четыре брака, и все коту под хвост... А парню под сорок. Я думал, хоть с Варей ему повезет. Они же любят друг друга как ненормальные, и что?

— Да, это только в ранней юности кажется, что взаимная любовь гарантия счастья...

Варя рвалась в Москву и в то же время страшилась этого. Ей предстояли нелегкие разговоры о беременности с Катей Вершининой как с агентом, с Маковским и, главное, с Шилевичем. Она ужасно боялась, что Семен Романович разозлится, обидится, раскричится... И она решила сперва поговорить с Надеждой Михайловной.

В аэропорту ее неожиданно встретил Дима.

— Ты откуда? — удивилась Варя.

— От верблюда! — буркнул Дима, отбирая у нее чемодан.

— Не поняла!

— Чего ты не поняла? Я боюсь за тебя, идиотку такую! Вдруг ты еще чьего-то мужа с ума свела? Думаешь, мало в Москве ревнивых психопаток?

— Димочка, я тебя обожаю! Кстати, я привезла тебе офигительно прекрасный джемпер от Труссарди, точно в цвет твоих глаз!

— С какой это радости?

— Так... Понравилась вещь, имею я право купить своему лучшему другу понравившуюся вещь?

— Имеешь, имеешь. Спасибо большое!

— Димка, ты чего разворчался?

— Оно мне надо, по ночам таскаться в аэропорт и развозить баб по домам?

— А зачем притащился, я бы и на такси доехала.

— Это еще вопрос! А вдруг твоя чудная сестренка еще не угомонилась и подошлет к тебе кого-то другого, аварию подстроит или еще что... Нет уж, я бы места себе не нашел. С кем я «Пигмалиона» тогда играть буду, не говоря уж о «Шмеле»? Ну, как съемки?

— Восторг! Я была бы последней дурой, если б отказалась! У меня гениальный партнер, он играет моего отца, ему семьдесят лет, а он впервые снимается в кино, можешь себе представить? Театральный актер, русского происхождения, по-русски говорит прекрасно и радуется, что я тоже русская. Опекает меня, кормит фантастическими итальянскими обедами, но рецептов не дает.

— И влюблен в тебя по уши?

— Да ты что?

— Дура ты, Варька, совершенно не осознаешь своей прелести... Впрочем, именно в этом, вероятно, и состоит немалая доля твоей прелести...

— Дим, ты чего?

— Ничего. Просто констатирую факт. И еще я понял: когда тебя нет в Москве, мне как-то... не того... пусто...

— Можно подумать, ты безвылазно сидишь в Москве!

— Нет, конечно. И на выезде я о тебе и не вспоминаю, не думай, а вот когда я в Москве, а тебя нет, мне хреново, хочешь верь, хочешь нет.

Варю нервировал этот разговор.

— Дим, я хочу сказать тебе одну вещь... Только пообещай, что будешь молчать?

Дима притормозил и съехал на обочину. Они еще только подъезжали к Москве.

— Ну? — резко спросил он и выжидательно уставился на Варю.

— У меня... ребеночек будет...

— Так! К сожалению, я абсолютно точно знаю, что отец не я. И кто же этот счастливец?

— Догадайся с трех раз!

— Обижаешь! Зачем мне три раза, я и так знаю, что ты тупая. Стас, да?

— Да, я же тупая, — засмеялась Варя.

— И что? Рожаем?

— Да, но...

— Ты хочешь спросить, при чем тут я?

— Ну да...

— Ребенку нужен папаша. Я не подойду?

— Дим, ты чего?

— А чего? Ты же со Стасом вроде порвала, за меня замуж просилась...

— А ты меня послал.

— А ты мне за это «Кони-звери» спела! Можно сказать, козу показала. Я не прав?

Варя фыркнула.

— Значит, прав! Я, конечно, вполне отдаю себе отчет в том, что адресат в зале был не один... Ну так что?

— Дим, это мой ребенок.

— Разумеется, твой, но отец-то ему нужен.

— У него в принципе есть отец.

— А этот отец в курсе?

— Нет, и я не хочу, чтобы он знал.

— Если ты выйдешь за меня, он и не узнает. О нас давно уже сплетничают.

— А если ребенок будет похож на Стаса? Мне ж от него такую красоту не родить! — нежно улыбнулась Варя и погладила Диму по щеке.

Он поймал ее руку, поцеловал в ладонь.

— Зачем тебе чужой ребенок, Димочка? Ты лучше будешь его крестным, ладно?

— Все, вопрос снят. Считай, это был порыв. Просто мне вообще нравятся все эти... танцы...

танцы с Варежкой... Ты из тех баб, которых хочется защищать. Инстинкт, ничего не попишешь.

— Димка, почему про тебя говорят, что ты чуть ли не монстр, что ужасно обходишься с женщинами?

— Все зависит от женщины... Вон, про твоего Стаса его бывшие жены каких только кошмаров не плетут, а ты слова дурного о нем не сказала, а ведь тебе наверняка есть что порассказать народу.

— Нет, мне нечего порассказать. Он добрый, внимательный, заботливый... Образованный, умный...

Из ее глаз полились слезы.

— Тьфу ты, идиотка! Ладно, поехали! И забудь все, что я тебе тут наговорил. Живи как хочешь, дурища!

И Дима ударил по газам.

— Сенечка, я сегодня обедала с Варежкой.

— Она в Москве?

— Да. Приехала играть спектакль.

— Я хочу ее видеть. Почему ты не сказала что она здесь? — взорвался Семен Романович.

— Сеня, не шуми! Ей надо было поговорить со мной по-женски.

— Это что еще значит — по-женски? О менструациях, что ли?

— Ну, в известном смысле о менструациях, да, — усмехнулась Надежда Михайловна.

— Что за чушь?

— Сеня, Варежка беременна и хочет рожать.

— То есть как рожать? Когда? А мой фильм? Об этом не может быть и речи! В конце концов, где была бы эта Варежка без меня? Ничего, у нее уже есть сын, и хватит с нее!

— Сеня, сколько бы ты ни орал, она все равно родит. Делать аборт уже поздно. Но ты же знаешь, в кино всегда можно как-то скрыть беременность, я внесу кое-какие изменения в сценарий, а работать она готова...

— Это что, героиня будет с пузом?

— Ну, пока никакого пуза еще нет, заметно еще нескоро будет... А хорошие костюмы на что? Короче, она сказала: если Семен Романович не согласится снимать меня беременную, я буду вынуждена отказаться от роли.

— Ишь как она заговорила, наглая девка!

— Сеня, что ты шумишь? У нас нет своих детей, Варежка нам как дочь, разве нет? А теперь у нас будет внук или внучка.

— А отец у этого внука будет?

— Боюсь, что вряд ли.

— А от кого она это чадо прижила?

— От Стаса, от кого же еще!

— А он что, не хочет ребенка? — поразился Семен Романович.

— Он пока не знает. Они в ссоре, но она так его любит, что хочет ребенка во что бы то ни стало.

— Ну так ты ему скажи, большое дело!

— Между прочим, именно благодаря Варежке этот мерзавец Шевелев забрал заявление.

— Ну и слава богу! А то накинулись на парня, травлю затеяли, хрен знает что! Может, теперь уймутся...

— А ты в курсе, что Кружков отказался снимать Стаса и Ваганьков тоже?

— Серьезно? Я не знал... Слушай, это плохо... Он может совсем пропасть. Такой талант... Надюха, а давай возьмем его на роль Муратова, а?

— Но Муратов же сугубо отрицательный герой... Хотя это может получиться очень интересно... и неоднозначно... Стас такого еще не играл...

— Да он тебе хоть Джульетту сыграет! — воодушевился Семен Романович. — Я как-то не думал о нем в этой связи, но это будет потрясающе! Надюха, я гений!

— Ты, конечно, гений, Сенечка, но как отнесется к этому Варежка?

— А мне плевать, как она отнесется! Я режиссер, а она пока не Мерил Стрип, чтобы диктовать мне условия! К тому же, работая вместе, может, они наконец помирятся? Артисты, блин!

Утром Семен Романович позвонил Стасу. Трубку взял отец, Илья Геннадьевич.

— Семен? Рад слышать!

— Илюха, а где твой сын? Почему ты отвечаешь по его мобильнику? В запое, что ли?

— Нет, в депрессии. У него неважные дела, Сеня.

— Да знаю я... Ничего, все поправимо. Вот, хочу предложить ему главную роль в своем новом фильме. Полный метр, роль интереснейшая, ее должен был играть Некрасов, но он заболел, и я подумал о Стасе. Он такого еще не играл.

— Сеня, не знаю даже, как тебя благодарить...

— Погоди, может, он еще не согласится, кто его знает, он же малый с характером. Короче, мне надо с ним поговорить!

— Сеня, давай он тебе перезвонит. Надо его встряхнуть немного, а то...

— Ладно, но передай, что долго я тянуть не могу, у меня героиня беременна, надо спешить.

Стас перезвонил через два часа.

— Семен Романович...

— Стас, дружище, ты согласен?

— Согласен, конечно.

— Может, сперва прочтешь сценарий?

— Сценарий, конечно, писала тетя Надя?

— Разумеется.

— Так чего раздумывать? Тем более сейчас это единственное предложение, — горько усмехнулся Стас.

— Отлично. Тогда через два часа жду на студии. Поговорим, обсудим график...

— Спасибо, Романыч, — голос Стаса дрогнул.

Суки, до чего парня довели, подумал Семен Романович.

Стас появился точно в назначенный час. Бледный, исхудавший, но, как всегда, идеально выбритый и элегантный.

— Похоже, меня заживо похоронили, — сказал он. — В коридоре несколько человек шарахнулись от меня, как от ожившего покойника или прокаженного.

— Не бери в голову! Первый раз, что ли?

— Да нет, но такого еще не бывало. Романыч, вы из жалости меня позвали?

— Ты сдурел, парень? Чего тебя жалеть? Набил морду подонку, а тот решил на этом раскрутиться, к тому же забрал заявление, когда его прижали. А на этих желтопузых журналюг внимание обращать — последнее дело, сам, что ли, не понимаешь?

— Романыч, я все понимаю, я другого пережить не могу... — тихо проговорил Стас.

— Чего? — Семен Романович тоже понизил голос.

— Никому бы не сказал, а вам почему-то могу... Дело ведь прекратил Пирогов... человек, которого я ненавижу всеми фибрами души...

— Господи, за что? — перепугался Семен Романович.

— За что? За то, что отнял у меня Варежку... мою любовь...

— Как это отнял?

— Ну, увел, купил, почем я знаю...

— Стас, ты бредишь! Варежка только тебя любит, и она, если хочешь знать, ждет ребенка...

Стас побагровел и сжал кулаки.

— Зачем вы мне это говорите? При чем тут я?

— Так это твой ребенок, болван!

— Кто это вам сказал?

— Надюха, а ей Варежка.

— Ерунда! Это наверняка ребенок Пирогова, но он ведь женат на ее сестре, так что...

— Уже не женат.

— О, тогда я уж точно ни при чем. Выходит, он развелся с женой, чтоб жениться на... Варваре и узаконить ребенка.

— Но зачем в таком случае Варежке говорить Надюхе, что это твой ребенок? Нелогично!

— Все как раз логично. Согласитесь, Романыч, если б это был мой ребенок, то стоило бы меня поставить в известность в первую очередь, вы не находите?

— Нет, не нахожу! Вы с ней, как я понял, разбежались, она сказала Наде, что хочет этого ребенка, потому что никогда и никого так не любила, как тебя!

— Сказать можно все!

— А зачем?

— Откуда мне знать, какие у нее соображения.

— Ладно, Стас, разбирайся сам со своей личной жизнью, а нам надо поговорить о делах.

Они поговорили о делах. Шилевич отдал Стасу сценарий, и Стас ушел.

Во дворе он столкнулся с Ниной Мурадян, исполнительным продюсером, последнее время она работала с Шилевичем.

— Привет, Стас! Рада тебя видеть! Знаю, что будешь у нас сниматься! Это твоя роль! Выходит, вы с Варей помирились?

— С чего ты взяла?

— Ну так она же у нас главная героиня!

Стас похолодел. Взбудораженный известием о Варежкиной беременности, он как-то не спросил, кто же будет играть главную героиню.

Нину кто-то окликнул, она помахала Стасу и ушла. А ему захотелось напиться вдрызг. Он решил позвонить Денису. Тогда, после вручения премии, они так душевно посидели и пообщались, даже несмотря на присутствие отца и Маши.

Денис сразу отозвался.

— Стас? Ты как? — озабоченно спросил старый друг.

— День, давай где-нибудь посидим. Выпить надо, а одному... сам понимаешь.

— Старик, я сейчас жду клиента, но если невтерпеж, подваливай ко мне в контору, освобожусь и буду в твоем распоряжении.

— Годится!

— Ты где сейчас?

— На Мосфильмовской, а что?

— Просто хотел прикинуть, когда появишься.

— Денис, ты скажи, если тебе это в лом...

— Да ты что, Стас? Говорю же — жду!

Стас добирался до конторы друга больше часа. Господи, думал он, Варежка беременна, говорит, от меня... Неужто правда? Но почему же об этом знают все, кроме меня? Или она так обижена, что и знать меня не хочет? Или разлюбила? Нет, скорее всего, это просто не мой ребенок, она же такая честная. Не станет подсовывать мне чужого младенца... Да, вот и разгадка... Конечно... Ну а что она там натрепала тете

Наде... Неловко ей, видно, признаться почтенной матроне, что спала с Пироговым, мужем сестры... К тому же он развелся... А может, это Димка отец? Поговаривают, что у них роман... Нет, вряд ли, он бы тогда сразу на ней женился... Как бы то ни было, а я здесь ни при чем, и от этого хочется выть... Да, она в последний раз так рассердилась, кричала на меня, губы со злости кусала. Господи, неужели я никогда больше ее не поцелую... у нее такие губы... Но мы же будем сниматься вместе... Даже не пойму, хорошо это или плохо? Может, лучше отказаться от съемок? Но для меня сейчас это равносильно самоубийству при тех ушатах грязи, которые на меня вылили... А Варежка не пришла ко мне... Будь это мой ребенок, она бы кинулась ко мне с этой радостью, чтобы поддержать, утешить... А она попросила Пирогова...

Все эти мысли буквально душили его. Он заехал в магазин и купил две большие бутылки виски. Если не начну сниматься, придется переходить на самое дешевое пойло, — с горькой усмешкой сказал он себе.

— Добрый день! — произнес Стас, входя в контору.

— Здрасьте! — приветствовал его Вениамин, с любопытством разглядывая знаменитого артиста. — Шеф освободится через пять минут. Присаживайтесь! Ой, вы не дадите автограф для моей девушки, она от вас просто тащится!

— Без проблем! Неужто еще не все девушки записали меня в живые покойники? Где расписаться?

— Вот тут! Спасибо! Кофе будете?

— Давай!

— Вы не берите в голову, что про вас такое пишут, пройдет неделька, им надоест, за другого примутся... Вот уж точно, собака лает, а караван идет.

— Сам все осознаю, но не всегда получается...

В этот момент открылась дверь кабинета, появился Денис с немолодой дамой, буквально увешанной драгоценностями. Она смерила Стаса любопытным взглядом, узнала и произнесла, брезгливо скривив густо накрашенные губы:

— Вроде бы из приличной семьи...

С этими словами она удалилась.

— Не обращай внимания! — хлопнул его по плечу Денис.

— Да пошла она... Ну, здорово!

Но Денис видел, что дурацкая фраза, брошенная мимоходом, достигла цели — у Стаса дрожали губы, он был раздавлен. Блин горелый, до чего довели человека...

— Вень, поезжай вот по этому адресу, найди Анатолия Филипповича Будницкого и выясни у него, где и когда он в последний раз видел Егора Светлова. И потом можешь быть свободен. Дело этой грымзы начнем завтра. Не горит.

Квасить будут, не без зависти подумал Вениамин. Но это правильно. Симбирцев и впрямь в ужасном состоянии, ему надо.

Между тем Денис внимательно посмотрел на Стаса.

— Ну, что еще стряслось? Я не верю, что ты пришел выпить со мной только из-за этих гребаных журналюг? Выкладывай!

— Ты прав, Денька. Не только, хотя из-за этих гребаных журналюг на студии от меня люди шарахались, как от прокаженного...

— Не преувеличивай, послезавтра они будут шарахаться от кого-то еще, а кое-кто даже будет рад шарахнуться вместе с тобой.

— Это верно, разумный ты мой...

— Опять, что ли, с Варварой поругался?

— А я с ней и не мирился... — И Стас, выпив изрядную порцию виски, вывалил другу все свои соображения относительно Варежкиной беременности, при этом у него дрожали губы, он нервно дергал ногой и до белизны костяшек сжимал и разжимал пальцы.

— Это все? — сухо спросил Денис, когда он замолчал.

— Ты что, друг? — не понял его тона Стас.

— Послушай, Стас, что я тебе сейчас расскажу: этим летом ко мне заявилась одна клиентка, молодая, красивая, богатая, и поручила установить слежку за одной артисткой...

— За Варежкой? — крайне удивился Стас.

— Именно. Платила эта молодая-красивая по-царски, почему бы и не взяться за такое дело. Мы и взялись...

— Ты следил за ней? — с некоторой опаской и даже брезгливостью спросил Стас.

— Это, между прочим, моя работа. Я ничего тебе больше говорить не стану. Вот тебе ее дело, здесь зафиксировано все и даже факт прелюбодеяния.

— С кем? — мгновенно охрип Стас.

— С тобой, козлище! С тобой! И никогда и ни с кем больше! Никогда и ни с кем! Венька даже сказал про твою Варю: она вернула мне веру в женщин...

— А кто... кто заказал тебе эту слежку? — едва ворочая внезапно пересохшим языком, спросил Стас.

— Когда я назову ее имя, тебе будет очень стыдно, Стас. Это была Марьяна Пирогова...

— Ты хочешь сказать, что я... такой же идиот как она?

— А чем ты лучше? Придумал себе какую-то хрень и носишься с ней, как с писаной торбой. А знаешь, что удумала Марьяна после той вечерухи, где тебе премию дали? Видать, когда твоя Варвара пела, а пела она там просто охренительно, вряд ли ты это забыл... Так вот, видать, Пирогов, как любой мужик, у которого еще стоит, отреагировал на эту песню, а Марьяна решила извести на фиг сестричку. Она, блин горелый, наняла бабу, чтоб та Варе твоей в лицо кислотой плеснула! — вне себя от злости и ревности уже кричал Денис.

— Что? Как это?

— Так это! — передразнил друга Денис.

— И... И что?

— Если б у нас с Венькой чуйка похуже была, не факт, что твоя Варежка осталась бы такой же красивой...

— Но как?..

— Пирогова срочно велела прекратить слежку.

— А вы?

— А мы не прекратили... — И Денис во всех подробностях поведал другу о том, как встретил Варю в аэропорту, и обо всем, что за этим последовало. Стас был просто уничтожен.

— Ну что, будешь смотреть дело?

— Нет, зачем? Ты прав, старик, я такой же кретин и параноик, как эта сука... Кстати, я слышал, он с ней развелся...

— Разводится... Но я зуб даю, ты решил, что он это делает, чтобы жениться на Варе, да?

— Ты откуда такой умный, Денька?

— Оттуда! — проворчал Денис.

— А ты, часом, сам в нее не втюрился?

— Втюрился! Еще как втюрился! И Венька тоже втюрился, ну и что? Такие женщины достаются скромным сыщикам только в кино, да и то, если сыщика играет Стас Симбирцев, — высказал вслух свою давнюю мысль Денис.

— Да... Значит, я столько времени и душевных сил потратил на пустые беспочвенные подозрения? Господи, бедная моя Варежка!

— Знаешь, почему она тебе не сказала про ребенка? Потому что боялась, что не переживет вопроса: «От кого?»

Стас Симбирцев, знаменитый артист, воплощение силы и мужества на экране, сидел за обшарпанным столом в офисе сыскного агентства и горько плакал...

Интервью

Корр.: Добрый день, Варвара, что нового у вас в жизни?

В.Л.: Много нового, но главное – у нас родилась дочь!

Корр.: И сколько ей уже?

В.Л.: Два месяца.

Корр.: И как ее звать-величать?

В.Л.: Анюта, Анна Станиславовна Симбирцева.

Корр.: Примите мои поздравления!

В.Л.: Спасибо.

Корр.: Варвара, я знаю, что вы уже через месяц после родов приступили к съемкам и буквально на днях возвращаетесь на сцену?

В.Л.: Совершенно верно.

Корр.: А кто же занимается ребенком?

В.Л.: Нам очень помогает моя свекровь, к тому же Стас просто потрясающий отец. Я ни разу даже не встала ночью к ребенку, все делает Стас. Каждую свободную минутку он проводит с доче-